Heinz Geuen • Michael Rappe

m Fokus

Videoclips

Musik für Augen und Ohren

Themenheft für Schüler ab der 7. Jahrgangsstufe

HELBLING

Rum / Innsbruck • Esslingen

Zu diesem Heft ist erhältlich:
DVD mit allen Videoclips sowie mit Filmausschnitten; umfangreiches Booklet mit Lehrerkommentar und Erwartungshorizonten zu den Aufgaben
HI-S6007DVD
ISBN 978-3-85061-402-3

Redaktion: Helmar Breig; Daniela Galle
Umschlag: Marinas Werbegrafik & Grafikdesign, Innsbruck
Umschlagmotive: groß: © Antoine Bardou-Jacquet/Partizian; klein (v. l. n. r.): © Oasis, © Wir sind Helden, © action press, © laif Agentur für Photos und Reportagen, © Oasis
Notensatz: Susanne Höppner, Neukloster
Illustrationen: Maryse Forget, Lahr
Übersetzung der englischen Songtexte: Ute Legner, Augsburg
Layout und Satz: Marcus Koopmann, Moers
Druck und Bindung: Athesia-Tyrolia Druck GmbH, Innsbruck

HI-S6006
ISBN 978-3-85061-401-6

1. Auflage A1 54321 2013 2012 2011 2010 2009

Alle Drucke dieser Auflage können im Unterricht nebeneinander benutzt werden; sie sind untereinander unverändert. Die letzte Zahl bezeichnet das Jahr des Druckes.

FILM UND VIDEOCLIP

„Wenn Sie es sich das nächste Mal in Ihrem Kino um die Ecke bequem machen, dann vergessen Sie nicht, Ihre Ohrpfropfen herauszunehmen. Die meisten Leute merken gar nicht, dass sie welche haben – das ist jedenfalls der Eindruck, den Komponisten haben, die Filmmusik machen. Für Millionen Kinogänger ist die musikalische Ausstattung des Films so selbstverständlich, dass sie schon fünf Minuten nach Verlassen des Kinos nicht angeben können, ob sie eine Musik gehört haben oder nicht.“

Nach den Worten des amerikanischen Filmkomponisten Aaron Copland (1900–1990) zu urteilen, ist Musik im Film als zumeist angenehme „Nebensache“ selbstverständlich. Aber in welcher Beziehung stehen Musik und Bilder im Videoclip? Spielfilm und Videoclip haben sicher viel gemeinsam – und doch macht es einen Unterschied, ob Musik die Bilder (und somit die Handlung) unterstützt oder ob Bilder die Musik unterstützen sollen. Eine Gegenüberstellung von Spielfilm und Videoclip soll dies verdeutlichen.

Musik und Action

Bewegte Bilder – Startschuss für ein neues Medium

Am 28. Dezember 1895 veranstalteten die Brüder Louis und Auguste Lumière in Paris die erste Kinovorstellung. Sie zeigten dort noch keine Spielfilme, sondern nur kurze Dokumentationen, die kaum eine Minute dauerten. Einer der ersten Filme war „Die Ankunft eines Zuges auf dem Bahnhof in La Ciotat“. Dieser Stummfilm wurde in nur einer Einstellung gedreht und zeigt einen in den Bahnhof einfahrenden Zug: Die Lokomotive fährt fast bildfüllend auf den Zuschauer zu, die Waggontüren öffnen sich und die Passanten steigen aus. Trotz der Kürze des Films war die Wirkung überwältigend. So wird berichtet, dass einige Leute angsterfüllt den Vorführraum verließen oder zur Seite sprangen, weil der Zug ihnen so echt erschien. Ob damals schon live von einem Kinopianisten gespielte Begleitmusik für die richtige Atmosphäre sorgte, kann man nur vermuten. Aber schon zehn Jahre später, als die Filme anspruchsvoller und in den USA die ersten Kinos eröffnet wurden, waren „lebende Bilder“ ohne Musik nicht mehr denkbar. Ob vom „Mann am Klavier“ oder von großen Kino-Orchestern: Musik gehörte bald zum Kino wie Popcorn und Eis am Stiel. Nur „richtige“ Filmmusik, d. h. Musik, die eigens für einen bestimmten Film komponiert wurde, bildete lange die Ausnahme. Meistens griffen die Musiker auf Kompositionen zurück, die es schon gab. Entsprechend den Stimmungen, die für den Film benötigt wurden, stellten sie verschiedene Ausschnitte aus Klavier- und Orchestermusik zusammen.

Die Brüder Lumière

Kinotheater von Karl Knübbel am Bahnhof Frankfurter Allee in Berlin, um 1903

Komponisten gehen zum Film

1 Actionfilme leben nicht nur von spannender Handlung und schnellen Bildern, sondern auch von der verwendeten Musik. An die Musik welches Actionfilms könnt ihr euch erinnern? Gibt es eurer Wahrnehmung nach typische „Actionmusik“?

2 Warum bleiben eurer Meinung nach manche Filmmusiken im Gedächtnis, während man sich an die Musik anderer Filme oft gar nicht mehr erinnern kann?

Als sich nach 1927 der Tonfilm durchsetzte, entwickelte sich die Filmmusik zu einer eigenen musikalischen Kategorie. Komponisten begannen Musik zu schreiben, die mit großen Studio-Orchestern produziert wurde. Die Aufgaben, die die Komponisten zu bewältigen hatten, waren vielfältig. Die Musik sollte z. B.

- eine Atmosphäre schaffen, die zur Handlung und zum Ort des Geschehens passt,
- die handelnden Personen charakterisieren,
- Gefühle, Stimmungen und die Handlung des Films aufgreifen und abbilden,
- Spannung erzeugen und abbauen,
- Filmszenen voneinander absetzen oder miteinander verbinden,
- Zeitsprünge oder Unterschiede zwischen Traum und Wirklichkeit verdeutlichen.

Von den Anfängen bis heute hat sich an diesen Funktionen der Filmmusik im Prinzip nichts geändert. Allerdings hat sich die Palette von Musikstilen vergrößert, sodass heute neben traditioneller Orchestermusik häufig auch Elemente aus Pop und elektronischer Musik verwendet werden.

1

Mark Mancina: Speed (Filmmusik, 1994)

Info

Handlung von „Speed“

Der Terrorist Howard Payne (Dennis Hopper) hat einen Linienbus mit einer Bombe präpariert. Diese Bombe explodiert, wenn der Bus langsamer als 50 Meilen pro Stunde (ca. 80 km/h) fährt. Der Bombenspezialist Jack (Keanu Reeves) schafft es, an Bord des Busses zu gelangen. Viele gefährliche Situationen müssen gemeistert werden, bis es schließlich gelingt, den Bombenleger in die Irre zu führen. Mithilfe von Annie (Sandra Bullock), die statt des verletzten Busfahrers das Lenkrad übernehmen muss, wird der Bus auf eine Kreisbahn des Flugplatzes dirigiert, wo die Insassen während der Fahrt evakuiert werden sollen.

Kinoplakat zu „Speed“

3 Achtet darauf, wann in der hier gezeigten Szene Musik eingesetzt wird und wann vor allem Geräusche.

4 Beschreibt die musikalischen Mittel (Melodie, Rhythmus, Klang), mit denen Mark Mancina arbeitet.

5 Musik und Sounddesign stehen in „Speed“ in engem Zusammenhang. Welche Wirkungen gehen eher auf das Konto der Musik, welche Funktion übernimmt das Sounddesign?

Jan de Bonts Thriller „Speed“ gilt als Meilenstein des Actionfilms. Bis heute beeindrucken die spannende Handlung, das hohe Tempo und die rasante Schnittfolge dieses Films. Wesentlichen Anteil an der Wirkung hat aber auch die Musik des bekannten Filmkomponisten und Songwriters Mark Mancina und das exzellente Sounddesign, für das „Speed“ 1994 sogar mit einem Oscar ausgezeichnet wurde. Auf akustischer Ebene ist nämlich nicht allein die Filmmusik für die Stimmung verantwortlich. Vielmehr verbindet sich Mancinas Musik immer wieder mit Klängen und Geräuschen, die sich unmittelbar aus der Handlung ergeben.

Einen Spannungshöhepunkt erreicht der Film in der Szene, in der Annie mit dem Bus auf ein neu gebautes Autobahnstück zurast, bei dem aber ein Brückenstück noch nicht fertiggestellt ist. Jacks spontaner Plan, die Lücke mit dem Bus zu überspringen, ist ohne Alternative, sodass sich Fahrerin und Passagiere auf das gefährliche Manöver vorbereiten …

Visualisierung von Musik

Seit dem Start von MTV (Music Television) im Jahre 1981 gehören Musikvideos zu unserem Alltag. Auch wenn heute das Internet die Musiksender weitgehend verdrängt hat, können wir uns Popmusik ohne Videobilder kaum noch vorstellen. Anders als im Film bildet im Video die Musik den Ausgangspunkt. Von Beginn an haben Regisseure von Musikvideos eine breite Palette von Möglichkeiten entwickelt, um Popmusik mit bewegten Bildern auszustatten.

1 Stellt zusammen, mit welchen Mitteln Michel Gondry das Musizieren von Jack und Meg umgesetzt hat. Achtet vor allem auf die Anordnung der Instrumente im Raum, auf Schnitte, Drehungen und Kamerafahrten.

The White Stripes: The Hardest Button to Button (2003)

2

Die 1997 gegründete Indie-Rockband *The White Stripes* aus Detroit, bestehend aus den beiden Mitgliedern Jack und Meg White, gehört zu den wichtigsten Vertretern des „Garagenrock“. 2003 veröffentlichten sie ihr Album „Elephant“, auf dem sich auch das Stück „The Hardest Button to Button“ befindet. Den Videoclip für diesen Song produzierte einer der Stars unter den Videoclip-Regisseuren, der Franzose Michel Gondry. Gondry hat unter anderem auch für Björk (siehe S. 34/35) und Kylie Minogue gearbeitet. Die Zahl Drei hat bei den *White Stripes* eine besondere Bedeutung. Das Design sämtlicher Veröffentlichungen, ihrer Website sowie ihrer Instrumente und ihrer Kleidung bei öffentlichen Auftritten besteht immer nur aus drei Farben: Schwarz, Rot und Weiß. In Interviews betont Jack – der Komponist, Sänger und Gitarrist des Duos –, dass ihre Musik auf die drei wesentlichen Bestandteile Rhythmus, Melodie und das Erzählen von Geschichten reduziert ist.

Regisseur Michel Gondry erläutert, wie er bei seinem Clip vorgegangen ist:

» Wir wollten ein visuelles Echo der Musik erzeugen, indem wir den Einsatz der Musikinstrumente manipulierten. O.k. Das klingt nicht besonders klar – ich versuch's zu erklären … Zum Beispiel, jedes Mal wenn Meg einen Schlag auf ihrem Schlagzeug spielt, bleiben sie und das Set mit diesem Schlag auf dem Film erhalten. Es erfolgt ein Schnitt, und man sieht, dass Meg mit dem nächsten Schlag einfach vorgerückt ist. Sie spielt dasselbe noch einmal und rückt wieder vor usw. usw. Auf diese Weise hinterlässt sie geradezu eine Schleifspur von Schlagzeug-Sets, wo immer sie auch spielt … «

2 Jack hebt hervor, dass die Musik der *White Stripes* auf die drei wesentlichen Bestandteile Rhythmus, Melodie und das Erzählen von Geschichten reduziert sei. Wie beurteilt ihr vor diesem Hintergrund die visuelle Umsetzung des Songs?

3 Vergleicht nun den Ausschnitt aus „Speed“ mit dem Clip „The Hardest Button to Button“. Wo finden sich grundsätzliche Gemeinsamkeiten? Was sind die wesentlichen Unterschiede im Zusammenspiel von Handlung, Bild und Musik?

POPMUSIK KOMMT INS FERNSEHEN

1 Welche Musiksendungen im Fernsehen kennt ihr? Was schaut ihr euch regelmäßig an?

Videoclip

Die Bezeichnung Videoclip führt ein wenig in die Irre, da ein großer Teil der Musikvideos gar nicht auf Video, sondern auf 35-mm-Film gedreht wird. Vor allem die hochwertige Qualität des Originalmaterials, das dann alle denkbaren Bearbeitungsschritte zulässt, und der ans Kino erinnernde „Filmlook" sind Gründe für diese Entscheidung. Die Budgets liegen zwischen 1500 Euro und 1 Million Euro, wobei die berühmtesten Interpreten und Bands auch die höchsten Etats mitbringen.

Die TV-Moderatorin Uschi Nerke moderierte von 1965 – 1972 den „Beat-Club".

Popmusik im Fernsehen gibt es nicht erst seit MTV und VIVA. Bereits 1965 wurde im damals noch rein öffentlich-rechtlichen deutschen Fernsehen der „Beat-Club" von Radio Bremen als erstes reines Popmusikmagazin ausgestrahlt. Fernsehsendungen mit Popmusik waren damals eine absolute Seltenheit: Den „Beat-Club" gab es nur einmal im Monat am Samstagnachmittag. Er war bei jungen Zuschauern sehr beliebt und genießt bei manchen (älter gewordenen) Zeitgenossen auch heute noch Kultstatus.

Musikfernsehen als Vollprogramm begann am 1. August 1981 mit dem Start von MTV (Music Television) in den USA. „Video Killed the Radio Star" von *The Buggles* hieß bezeichnenderweise der erste auf MTV gesendete Clip. In Deutschland ging VIVA 1993 als neuer Videoclip-Kanal auf Sendung. Hinzu kam wenig später das deutschsprachige Programm von MTV. Heute sind MTV und VIVA keine reinen Musiksender mehr. Ihre Programme entwickelten sich wie die anderer privater Fernsehsender zu einem gemischten Angebot; neben der Videoclip-Sparte spielen auch Magazine, Shows, Serien und Cartoons eine Rolle.

MUSIC TELEVISION®

Videostill aus dem Musikfilm „Allegretto" von Oskar Fischinger (1936)

Für Videoclips gibt es bereits Vorbilder aus der Frühgeschichte des Films: Der Filmemacher Oskar Fischinger (1900–1967) experimentierte bereits ab 1920 mit Musik und Film und stellte schon damals – lange vor der Verbreitung des Fernsehens – sehr moderne Film-„Clips" her, in denen Musik in farbige Symbolwelten übersetzt wurde. Auch im Bereich des Spielfilms wurde Musik schon von Beginn an nicht nur atmosphärisch eingesetzt, sondern spielte oft selbst eine wichtige Rolle als Handlungsträger. Nach dem Vorbild des amerikanischen Revuefilms (siehe S. 14) enthielten viele populäre Filme Musikszenen, in denen die Handlung durch abgeschlossene kleine „Clips" unterbrochen wurde.

VOM TONFILMSCHLAGER ZUM VIDEOCLIP: VERFILMTE HITS VON 1936 UND 1986

Peter Kreuder: Ich wollt', ich wär' ein Huhn (1936)

3

Text: Hans Fritz Beckmann
Musik: Peter Kreuder

Schlager

Mit „Schlager" bezeichnet man seit etwa Mitte des 19. Jahrhunderts Musikstücke, die beim breiten Publikum erfolgreich sind. Seit mehr als 100 Jahren sind dies vor allem Lieder, die meist mehrfach in Operetten (den Vorgängern unseres heutigen Musicals) vorkamen, sodass sich das Publikum diese Melodien gut merken konnte. Mit der Erfindung der Schallplatte und mit der Verbreitung des Radios wurden Schlager eigens für diese Medien komponiert und prägen seit den 20er-Jahren des vorigen Jahrhunderts die populäre Musik. In Schlagern wird zumeist die „heile Welt" besungen – kritische Töne bilden die Ausnahme. Bis etwa 1975 waren Schlager und Schlagerfestivals vor allem in Deutschland sehr populär. Heute spricht man eher von „deutschsprachiger Popmusik" und meint damit aber oft auch „Schlager".

Der Schlager „Ich wollt', ich wär' ein Huhn" gehört bis heute zu den größten Hits populärer Musik. 1936 komponierte ihn Peter Kreuder (1905 – 1981) für den Film „Glückskinder". Kreuder war von etwa 1930 bis in die 60er- und 70er-Jahre hinein einer der wichtigsten und bekanntesten deutschen Film- und Schlagerkomponisten. Er hinterließ ein Werk von mehr als 4000 Liedern, Instrumentalstücken, Opern, Operetten und Musicals. Sein „Megahit" ist und bleibt jedoch das Lied vom Huhn, das vormittags Eier legt und nachmittags frei hat.

Der Erfolgskomponist Peter Kreuder bei der Arbeit

Die *Comedian Harmonists,* Deutschlands erste „Boygroup", um 1930

Max Raabe im Stil der 1920er-Jahre

1 Die Szene, in der der Schlager „Ich wollt', ich wär' ein Huhn" interpretiert wird, steckt voller Ideen, den Inhalt des Textes und den rhythmischen Fluss der Musik in Handlungs- und Bewegungselemente umzusetzen und diese möglichst genau auf die Musik abzustimmen. Beschreibt besonders gelungene Momente für das Zusammenspiel von Text, Musik und Bewegung.

2 In der zweiten Hälfte der Szene erfolgt ein längerer musikalischer Einschub, in dem Text und Melodie des Schlagers verlassen werden. Welche Stimmungen und Musikstile werden verwendet? Wie passt der musikalische und szenische Wechsel eurer Auffassung nach in die Gesamtanlage des Abschnitts?

Dass Kreuders Lied aus der Frühzeit des Tonfilms bis heute so bekannt und zu einem Klassiker geworden ist, liegt auch daran, dass immer wieder verschiedene Musiker dieses Lied interpretiert haben. In den 1930er-Jahren waren dies die *Comedian Harmonists* – fünf Sänger und ein Pianist –, die man als erste deutsche „Boygroup" bezeichnen könnte. Regisseur Joseph Vilsmaier hat 1997 die spannende Geschichte dieser Musikformation verfilmt. In unserer Zeit sind es Max Raabe und sein Palastorchester, die an den Sound und den Stil der 20er- und 30er-Jahre anknüpfen und auch den Schlager vom Eier legenden Huhn in ihrem Repertoire haben.

Das Lied „Ich wollt', ich wär' ein Huhn" wäre aber vielleicht nie so bekannt geworden, wenn es nicht so beeindruckend in dem deutschen Spielfilm „Glückskinder" (1936) inszeniert worden wäre. In einer brillanten Szene interpretieren die UFA-Stars Willy Fritsch, Lilian Harvey, Paul Kemp und Oskar Sima den Schlager temporeich und mit viel Sinn für Humor.

Die „Glückskinder" singen und tanzen „Ich wollt', ich wär' ein Huhn".

Handlung von „Glückskinder"

Der Film spielt in New York und erzählt die Geschichte des „Morning-Post"-Journalisten Gil Taylor (Willy Fritsch), der lustlos einen Auftrag für eine Reportage beim Schnellgericht übernimmt. Völlig hingerissen von der attraktiven Angeklagten Ann Garden (Lilian Harvey) vergisst er seinen Job, heiratet die Angeklagte auf der Stelle und rettet sie so vor der Verurteilung wegen Vagabundierens. Die Geschichte wird ein großer Erfolg in allen Zeitungen – nur nicht in der „Morning Post", denn im Überschwang der Gefühle hatte Taylor seine Zeitung einfach vergessen. Er wird fristlos entlassen, und auch seine beiden Freunde Stoddart (Oskar Sima) und Black (Paul Kemp), die zu ihm halten, bekommen die Kündigung. Das Quartett lässt sich die Stimmung jedoch nicht verderben. In der Szene, in der die vier Hauptdarsteller „Ich wollt', ich wär' ein Huhn" zum Besten geben, wird ein Eierpfannkuchen zubereitet – es ist das Einzige, was der bescheidene Haushalt zu bieten hat.

Amerikanische Kultur und Deutschland im Nationalsozialismus

Das Entstehungsjahr 1936 des Films „Glückskinder" ist bedenkenswert: Die Nationalsozialisten waren seit drei Jahren an der Macht, Adolf Hitler und sein Propagandaminister Joseph Goebbels hatten inzwischen eine totale Kontrolle des Staates und der Kultur, inklusive der Filmindustrie, erreicht. Die 1917 gegründete Universum-Film AG (UFA) war von den Nazis verstaatlicht worden und wurde zu Propagandazwecken genutzt. Dazu gehörte auch die Produktion von großen Unterhaltungsfilmen nach amerikanischem Muster.

Ungewöhnlich an „Glückskinder" ist, dass die Handlung in Amerika spielt. Die Menschen sollten von den Kriegsvorbereitungen in Deutschland abgelenkt werden, sich dabei aber eigentlich nicht an ausländischer, sondern an deutscher Lebensart orientieren.

Besonders in der Szene, in der das Lied vom Huhn gesungen wird, gibt es eine Reihe von Hinweisen auf Amerika: Willy Fritsch nennt z. B. den Schauspieler Clark Gable („mit Schnurrbart und mit Säbel"). Angespielt wird hier offensichtlich auf den sehr aufwendig produzierten und erfolgreichen Hollywoodfilm „Meuterei auf der Bounty" von 1935. Außerdem erwähnt Lilian Harvey die Mickey Mouse, die seit ihrer Erfindung durch Walt Disney im Jahre 1928 weltweite Berühmtheit erlangte. Es ist verwunderlich, dass sich ein Unterhaltungsfilm aus Nazi-Deutschland in dieser Szene und auch im gesamten Film so stark auf die verpönte amerikanische Kultur bezieht. Denn eigentlich fällt die Entstehung in eine Zeit, in der schon die Aufführung amerikanischer Jazz- und Swingmusik im Rundfunk verboten war (ab 1935).

3 Welche Gründe könnte es dafür geben, dass ausgerechnet im Jahr 1936 eine Öffnung der nationalsozialistischen Zensurpolitik erfolgte? Recherchiert in Geschichtsbüchern und im Internet zum Jahr 1936 in Deutschland und zur nationalsozialistischen Kulturpolitik.

Projekttipp

Es gibt (unter anderem von Max Raabe) eine Reihe von Wiederveröffentlichungen alter Filmschlager, die zu einem „Handlungsclip" im Stil der „Glückskinder" animieren könnten. Versucht selbst, einen Schlager der 20er- und 30er-Jahre szenisch umzusetzen, eventuell auch auf der Basis einer eigenen musikalischen Interpretation.

- Achtet bei der Titelauswahl darauf, dass Text und Musik viele Handlungs- und Bewegungselemente enthalten oder ermöglichen.
- Entscheidet, ob ihr im historischen Stil bleiben wollt (Atmosphäre, Requisiten, Frisuren und Kleidung der Zeit, Schwarz-Weiß-Optik) oder ob ihr bewusst eine moderne Version herstellen möchtet.

Queen: A Kind of Magic (1986)

4

Zwischen 1970 und 1991 gehörte die Gruppe *Queen* zu den herausragenden Rockbands ihrer Zeit. Ihren kometenhaften Durchbruch erreichte die Band 1975 mit „Bohemian Rhapsody" – ein Titel, der damals neun Wochen lang den ersten Platz der britischen Charts einnahm. Geprägt wurde *Queen* nicht zuletzt durch ihren Frontmann Freddie Mercury, der 1991 an den Folgen einer Aidserkrankung starb. Sein Tod beendete auch die goldene Ära der Band. Doch den *Queen*-Musikern Brian May und Roger Taylor ist es gelungen, in zahlreichen Projekten das musikalische Erbe der laut einer BBC-Umfrage „besten Band aller Zeiten" am Leben zu halten. Nicht nur das äußerst erfolgreiche *Queen*-Musical „We Will Rock You" (aufgeführt seit 2002 in London, Köln, Stuttgart und auf Tourneen) trägt dazu bei. 2005 gingen Brian May und Roger Taylor mit dem ehemaligen Sänger von *Free* als *Queen + Paul Rodgers* sogar erstmals wieder gemeinsam auf Tour. In derselben Besetzung konnte die Band 2008 beim Auftakt zur „Cosmos Rocks Tour" in Charkiw (Ukraine) über 350 000 Fans begeistern.

„Bohemian Rhapsody"
Die berühmte Verfilmung des *Queen*-Hits von 1975, die häufig als erstes Musikvideo der Musikgeschichte bezeichnet wird, ist vor allem ein Promotion-Film, der die Gruppe beim Musikmachen zeigt.

Freddie Mercury als Magier in dem *Queen*-Videoclip „A Kind of Magic" (1986)

1. Welche szenischen Mittel (z. B. Orte, Requisiten, Kleidung, Effekte) werden verwendet, um das „Magische" umzusetzen?
2. Freddie Mercury hatte eine besonders ausgeprägte Bühnenpräsenz. Beschreibt Körperhaltungen und -bewegungen. Ihr könnt typische Mercury-Posen auch in Standbildern selbst darstellen. Welche Wirkungen werden damit erzielt?
3. Wie sind Musik, szenische Umsetzung und Bilder aufeinander abgestimmt? Achtet insbesondere auf die Zeichentrickfilm-Effekte und die Bildschnitte.

Von Anfang an stellte für *Queen* die Bühnenperformance einen wesentlichen Teil der künstlerischen Arbeit dar. Es leuchtet daher ein, dass das Musikfernsehen ein ideales Medium für *Queen* war. Hier konnte die Vorliebe der Band für aufwendige Inszenierungen – Licht, Farbe, Kostüme – ungehindert ausgelebt werden.
Der Song „A Kind of Magic" bietet sich dafür geradezu an. Der Text kreist ausschließlich um Begriffe wie Magie und Traumwelt, verweist auf innere Stimmen und beschwört lodernde Flammen und jahrtausendealte Rituale.

Der Clip entstand im Zusammenhang mit dem Film „Highlander", für den *Queen* mehrere Songs komponiert hatte.
Der Anteil von *Queen* an der Musikkonzeption zu Russell Mulcahys Fantasyfilm „Highlander" ist oft hervorgehoben worden. Die Kombination von *Queen*-Hits mit der orchestralen Filmmusik von Michael Kamen führte zu einem dichten Soundtrack, der wesentlich für die Wirkung des Films verantwortlich ist.

A Kind of Magic

Text u. Musik: Roger Taylor, © EMI

Vom Revuefilm zum Videoclip: Aus alt wird neu

In den 20er- und 30er-Jahren des vorigen Jahrhunderts nahm die Entwicklung der populären Musik und der Musikindustrie einen rasanten Aufschwung. In den großen europäischen Metropolen wie z.B. Berlin oder Paris entstanden Revuetheater mit aufwendigen Programmen. Typisch für die großen Revuen waren pompöse Bühnenbilder und eine Vielzahl von Darstellern. Sehr oft wirkten weibliche Tanztruppen („Girls") mit, die vollkommen gleich gekleidet waren und deren besondere Fähigkeit darin bestand, absolut synchron sportliche Tanzbewegungen auszuführen und dabei oft auch noch zu singen. Neben den „Girltruppen" traten zumeist Gesangssolisten auf, die populäre Schlager der Zeit präsentierten. Nicht selten waren auch Varieténummern – z.B. Magier oder Artisten – Teil des Programms. Vorbild für die meisten Revuen waren die großen Shows, die am Broadway in New York aufgeführt wurden.

Szenenbild aus der Revue „So gefällt mir die Welt" aus den 1920er-Jahren

Von den originalen Revuen der 20er-Jahre sind aufgrund der mangelnden technischen Gegebenheiten der Zeit zumeist nur kurze Stummfilmausschnitte, Fotografien und eine Reihe von Musiknummern erhalten geblieben.

1936 – Filmrevuen als Medienspektakel

1 Was mag die Menschen in den 1930er-Jahren an den „Ziegfeld Follies" fasziniert haben? Tragt Eindrücke aus den Filmstills zusammen, die das Besondere dieser Bühneninszenierung belegen.

Eine Vorstellung von dem Aufwand, der in den Revuen betrieben wurde, vermittelt der amerikanische Spielfilm „The Great Ziegfeld" aus dem Jahre 1936. In diesem Film wurde das Leben des US-amerikanischen Theater- und Filmproduzenten Florenz Ziegfeld Jr. (1869–1932) verfilmt. Ziegfeld entwickelte am Broadway einen Showtyp, der bald unter dem Namen „Ziegfeld Follies" weltberühmt wurde.
Gefördert durch sein Vorbild Buffalo Bill, den Erfinder monumentaler Wildwestshows, brachte Florenz Ziegfeld in aufwendigen Bühneninszenierungen Akrobaten, Jongleure, Komiker, Sänger – und natürlich auch „Girls" – auf die Bühne. Berühmt war Ziegfeld nicht nur für die Massen, die er dabei zusammenbrachte, sondern auch für eine raffinierte Bühnentechnik.

1999 – Rückgriff auf Revuefilme im Videoclip

5

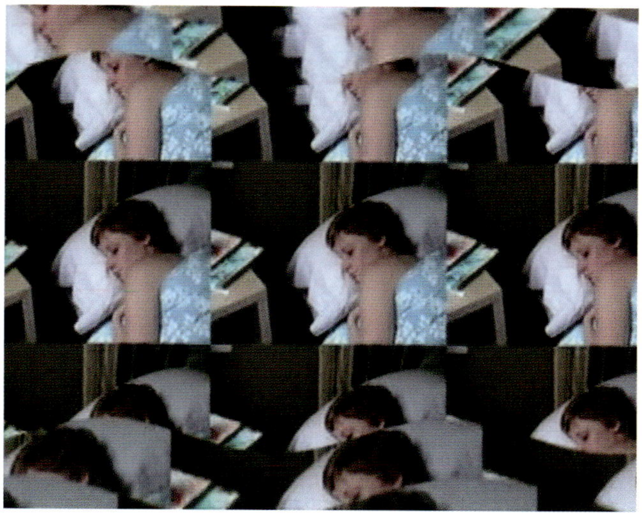

Das englische Duo *The Chemical Brothers* (Tom Rowlands und Ed Simons) ist ein bekannter Vertreter elektronischer Popmusik. Zusammen mit *Fatboy Slim, The Prodigy* und *Propellerheads* gelten die *Chemical Brothers* als Pioniere des sogenannten „Big Beat". Bei diesem gemischten Musikstil werden Hip-Hop- und Technorhythmen verwendet und mit rockigen Gitarrenelementen verbunden.
In ihrem Videoclip zu „Let Forever Be" greifen die *Chemical Brothers* auf Elemente der frühen Musikrevuen im Stile der „Ziegfeld Follies" zurück. Im vorliegenden Beispiel ist sogar die gewählte Szene ähnlich: Das Mädchen – das bald zu vielen genau gleichen Mädchen wird – steht aus dem Bett auf und beginnt tanzend mit den Ritualen des Tagesablaufs. Im Text wird ironisch darauf angespielt: Willst du in der Gosse leben oder bist du ein Uhrenfanatiker? „How does it feel like?"

Der Soziologe und Journalist Siegfried Kracauer (1889–1966) hat sich intensiv mit der populären Kultur der 1920er- und 1930er-Jahre beschäftigt und dabei den Begriff „Ornament der Masse" geprägt. Damit meinte er beispielsweise die Menschenmengen, die sich bei Sportereignissen in Stadien in gleicher Richtung bewegen oder die synchron dargebotenen Tanzperformances der Girls in den Revuen. Ihn beeindruckten vor allem die dabei entstehenden geometrischen Figuren und Formen.

1. Welche charakteristischen Merkmale der „Ziegfeld Follies" finden sich auch im Videoclip der *Chemical Brothers?*

2. Erläutert, welche Techniken elektronischer Bildbearbeitung im Clip der *Chemical Brothers* eingesetzt werden. Welche zusätzlichen Möglichkeiten ergeben sich dadurch – im Gegensatz zu Bühnenshows – für die Inszenierung?

3. Analysiert die Bild-Musik-Komposition im Videoclip der *Chemical Brothers:* Nennt Beispiele dafür, wo Musik und Bewegung besonders präzise aufeinander abgestimmt sind. Wie werden die Stimmungen, die in der Musik zum Ausdruck kommen, auch in Bilder umgesetzt? An welchen Stellen verhält sich die Musik eher neutral oder distanziert zum gezeigten Handlungsablauf?

4. Sucht Beispiele für das Phänomen des „Ornaments der Masse", die euch im täglichen Leben begegnen.

Filmische Gestaltungsmittel

Für die Wirkung von Videoclips spielt der Einsatz filmischer Elemente eine wichtige Rolle. Sie dienen nicht nur dazu, immer wieder neue Bildeffekte zu erzielen, sondern tragen dazu bei, Musik und Text zu interpretieren.
Den bewussten Aufbau einer filmischen Szene bezeichnet man in der Filmfachsprache mit dem französischen Begriff **Mise en Scène** („in Szene gesetzt"). In dieser Produktionsphase geht es um die räumliche Anordnung von Figuren und Dingen sowie den bewussten Einsatz bildkompositorischer Mittel, im weiteren Sinne auch um Schauspielerführung und Lichtgestaltung.
Ebenso wichtig ist aber auch die **Postproduktion:** Beim Schnitt werden die Einstellungen aneinandermontiert; so kann man noch entscheidend in die künstlerische Wirkung des Gesamtclips eingreifen, insbesondere die Beziehung Musik – bewegtes Bild prägen. Zur Postproduktion gehören auch sämtliche computergesteuerten Elemente, von der Farbgestaltung bis zur Animation.

Durchs Objektiv betrachtet

Der Betrachter eines Videoclips wird gezwungen, genau dasselbe wie das Objektiv einer Kamera zu sehen: Sein normales Gesichtsfeld (horizontal 170°, vertikal 110°) wird massiv beschnitten und gleichzeitig konzentriert. Darum ist die Wahl des Abstandes zum Objekt und der Brennweite des Objektivs entscheidend; beides ist für den Darstellungswinkel und damit auch für die Einstellungsgröße und den Bildausschnitt verantwortlich.
Man unterscheidet hauptsächlich folgende **Einstellungsgrößen:**

1. **Totale:** Sie gibt uns einen Überblick, vermittelt einen Eindruck des Ganzen und stellt die Beziehung zwischen den Personen und dem Raum dar.

2. **Halbtotale:** Der Darsteller ist in voller Größe abgebildet, dazu seine unmittelbare Umgebung. Man nimmt weniger den Raum wahr, sondern mehr, welche (Körper-)Haltung der Darsteller hat.

3. **Halbnahe Einstellung:** Der Darsteller ist bis zum Knie zu sehen, der Zuschauer fühlt sich näher am Geschehen. Eine ähnliche Einstellung wird auch „Amerikanische" genannt, weil sie besonders oft in Wildwestfilmen eingesetzt wurde, z. B. um Cowboys mit Waffe zu zeigen.

4. **Naheinstellung:** Die Person wird vom Kopf bis zur Brust oder bis zur Körpermitte abgebildet. Diese Einstellungsgröße eignet sich z. B. für Szenen, in denen Mimik und Gestik eine wichtige Rolle spielen.

5. **Großaufnahme:** Der Kopf der Person ist höchstens bis zu den Schultern zu sehen. Die Mimik, d. h. die sich im Gesicht spiegelnden Stimmungen und Gefühle, stehen im Zentrum.

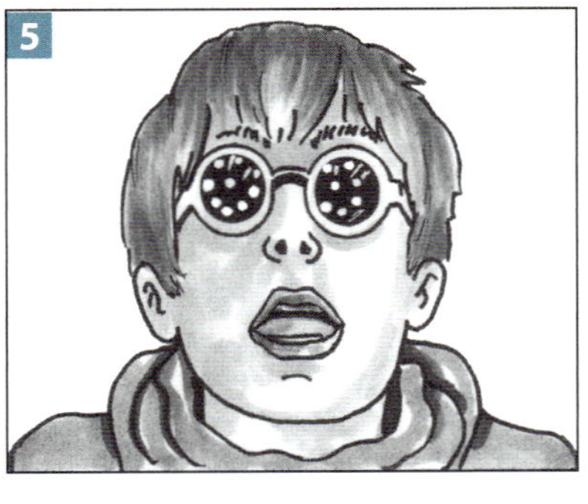

6. **Detailaufnahme:** Die Aufmerksamkeit richtet sich auf einen kleinen Bildausschnitt. Detailaufnahmen laden zur Interpretation ein: Wer hält den Spiegel? Warum? Was zeigt der Spiegel? Wohin geht der Blick? Wird ein ganz anderes Gesicht gespiegelt? …

Ein Sonderfall ist der Einsatz eines **Zooms,** einer stufenlosen Veränderung der Brennweite eines Objektivs. Das gefilmte Objekt kommt scheinbar näher oder rückt (wie hier im Bild) weiter weg; die Kamera selbst behält ihre feste Position. Die Wirkung einer Zoomfahrt ist völlig anders als die einer Kamerafahrt.

Der Standpunkt der Kamera

Bei der **Kameraperspektive** geht es um die Höhe, aus der man das Objekt aufnimmt, also um den Betrachtungswinkel. Man unterscheidet vor allem drei Perspektiven:

- **Normalsicht:** Die Aufnahmehöhe der Kamera entspricht etwa der Augenhöhe. Die Normalsicht soll den Eindruck von Realismus und Objektivität vermitteln.
- **Untersicht:** Sie verstärkt Größe und Höhe eines Objektes und erweckt beim Zuschauer Ehrfurcht ihm gegenüber. Sie lässt eine Person als übermächtig, unerreichbar hochstehend erscheinen, aber auch als bedrohlich, unheimlich; sie kann andererseits auch lächerlich machen und karikieren. Extreme Untersicht nennt man **Froschperspektive.**
- **Aufsicht** (oder Obersicht): Der Kamerablick richtet sich von oben auf das Geschehen herab. Eine Aufsicht kann eingesetzt werden, um eine Szene mit vielen Akteuren zu zeigen (z. B. eine Schlacht), aber auch, um die Unterlegenheit oder Ohnmacht einer Person darzustellen. Eine extreme Aufsicht bezeichnet man als **Vogelperspektive.**

Normalsicht

Untersicht

Aufsicht

Besondere Gestaltungsmittel der Kamera: Licht, Schärfe, Filter

Die **Lichtgestaltung** schafft Stimmungen und Atmosphäre. Man unterscheidet je nach der Richtung, aus der Licht auf ein Geschehen fällt, **Vorderlicht, Gegenlicht** und **Seitenlicht.** Das Vorderlicht fällt von der Kamera aus auf die Szene und lässt die Objekte flach wirken, da keine Schatten erkennbar sind. Auch das Gegenlicht ist nicht unproblematisch, weil es die Kamera selbst blendet. Insbesondere im Musikvideo findet man oft bewusst unrealistische Lichtführungen, die an Traumwelten erinnern (Surrealismus). Einige grundlegende Ideen zur eigenen Lichtsetzung findest du im Kapitel „Praxistipps zur eigenen Produktion von Videoclips", S. 46.

Auch die **Schärfe** kann künstlerisch eingesetzt werden: Bewusste Unschärfe (Objektiveinstellung) kann zu einer Verfremdung führen. Oft verwendet man sogenannte Weichzeichner, um ein Bild weicher, „romantischer" wirken zu lassen. Interessant ist die **Schärfeverlagerung** innerhalb einer Szene: Durch Verlagerung des Schärfebereiches kann man Objekte/Personen hervorheben.

Mit **Effektfiltern** (Sternfilter, Regenbogenfilter, Verlaufsfilter …) kann man bestimmte Wirkungen erzielen.

Schärfeverlagerung

Feste Kamera, und doch bewegt

Auch wenn eine Kamera ihren Standort nicht verlässt (z.B. wenn sie auf einem feststehenden **Stativ** befestigt ist), kann sie Bewegungen ausführen, die man **Schwenks** nennt. Dabei wird die Filmkamera horizontal oder vertikal geschwenkt, um dem Zuschauer einen Überblick zu verschaffen und Zusammenhänge zu verdeutlichen.

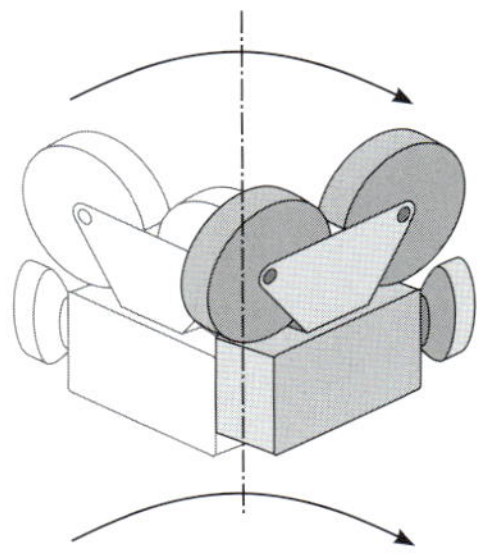

horizontaler Schwenk

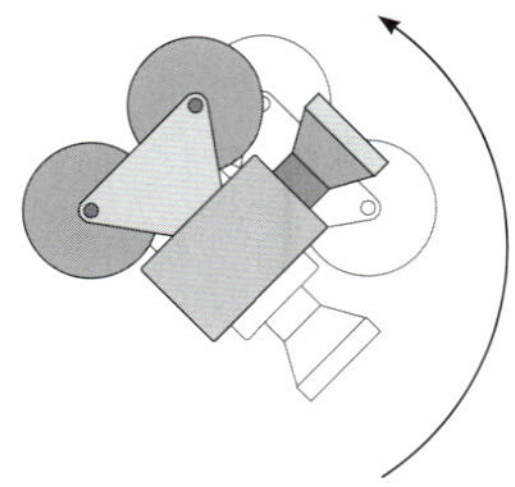

vertikaler Schwenk

Horizontale Schwenks begleiten oft sich bewegende Objekte. Bei langsamen Schwenks kann der Zuschauer systematisch beobachten, was sich im Raum abspielt; die Bilder haben beschreibende Funktion. Eine besondere Variante des horizontalen Schwenks ist der **Reißschwenk.** Durch das schnelle horizontale Herumreißen der Kamera werden zwei Motive verbunden, ohne dass man die überschwenkten Objekte wahrnehmen kann. Dieses Stilmittel erzielt eine hektische, nervöse Wirkung. Einen **vertikalen Schwenk** nennt man manchmal auch Kippen oder Neigen. Der Blick wandert z.B. von den Füßen einer Person über den Körper bis zu deren Kopf. Die Bilder beschreiben also nicht nur, wie jemand aussieht; der Zuschauer wird vielmehr auch auf bestimmte Details aufmerksam gemacht und leitet daraus ab, wie die gezeigte Person auf ihn wirkt. Der vertikale Schwenk kann folglich den emotionalen Gehalt einer Szene betonen. In der Praxis gibt es oft Kombinationen aus horizontalen und vertikalen Schwenkrichtungen (Diagonale oder Kurvenform). Eine selten verwendete Bewegung ist das **Rollen** um die optische Achse der Kamera.

Die Kamera in Bewegung

Steadycam

Am einfachsten kommt eine Kamera in Bewegung, wenn man sie als **Handkamera** führt. Sie ist sehr beweglich und der Kameramann kann damit nahe am Geschehen drehen und auch sehr subjektive Aufnahmen einfangen. Allerdings kann man die Handkamera kaum ruhig halten und es entstehen häufig wackelige, unruhige Bilder. Diese „untechnische" Produktionsweise wurde ab dem Jahr 1995 in sogenannten **Dogma-Filmen** immer wieder eingesetzt.
In den meisten Fällen sind aber wackelige Bilder unerwünscht. Aus diesem Grund hat man ein komplexes Halterungssystem für Kameras entwickelt, die **Steadycam.** Mit dieser Vorrichtung mit einer speziellen Tragweste kann der frei bewegliche Kameramann verwackelungsarme Bilder erzeugen. Um die Kamera nicht zusätzlich zu erschüttern, bedient man ihre wichtigsten Funktionen (Schärfe, Blende …) über eine Fernsteuerung. Zur Bildkontrolle dient ein am Tragarm montierter Monitor.

Kamerakran

Mit einem **Dolly** (Kamerawagen) lassen sich verwackelungsfreie Kamerafahrten durchführen, selbst auf unebenem Boden. Dazu laufen die Wagen meist auf Schienen. Bei professionellen Dollys ist auch noch ein hydraulisches Hubsystem eingebaut. Auf Dollys lassen sich meist auch Kamerakräne befestigen.
Man unterscheidet zwischen (He-)**Ranfahrt, Rückfahrt** oder **Parallelfahrt.** Die Kamera kann zwischen zwei Objekten fahren (als ob man aus einem fahrenden Zug aus schauen würde). Es ist auch möglich, dass Objekt und Kamera sich parallel bewegen. Auf diese Weise kann man Personen verfolgen, sie begleiten oder ihnen (rückwärts) vorausgehen. Bei der Ranfahrt beginnt die Kamera oft mit der Totalen und endet in der Groß- oder Detailaufnahme. Langsame Ranfahrten erzeugen starke Gefühle, schnelle erhöhen den Actioncharakter von Szenen. Genau umgekehrt ist es bei Rückfahrten. Hier entfernt sich der Zuschauer gefühlsmäßig von den Aktionen und trennt sich langsam von der Szene.
Mit der bewegten Kamera (Handkamera, Steadycam, Dolly) kann man das Gefühl erzeugen, als sei eine weitere Person im Raum, die alles beobachtet oder sogar an der Handlung beteiligt ist. Eine solche Kameraführung nennt man auch **subjektive Kamera.**
Mit dem **Kamerakran** kann man zudem „senkrechte" Kamerafahrten ausführen, ein Motiv „überfliegen", sich von oben darauf zu oder nach oben von ihm weg bewegen. In großen Kamerakränen kann der Kameramann mitfahren, auf kleineren ist nur die ferngesteuerte Kamera montiert.

Und danach: der Schnitt

Mit den Dreharbeiten ist nur ein Teil der Arbeit getan. Erst beim Schnitt werden Bilder und Bildfolgen „montiert", die oft in der Realität in keinem räumlichen oder zeitlichen Zusammenhang stehen. So entsteht filmische Illusion: Die **Montage** stellt gedankliche und gefühlsmäßige Verbindungen in Raum und Zeit der Bilder her. Es gibt eine Fülle von Montageformen, und nicht umsonst gehört der Schnitt zu den anspruchsvollsten künstlerischen Leistungen einer Produktion.
Rein technisch unterscheidet man den **harten Schnitt** (zwei Einstellungen direkt aneinandermontiert) und **weiche Schnitte** mit **Blenden** (Auf- und Abblende, Weißblende, Überblende, Irisblende, Schiebeblende, Wischblende …).
Bei Videoclips kommt es beim Schnitt sehr darauf an, wie genau Bildwechsel mit dem Rhythmus der Musik, mit den Taktschlägen übereinstimmen. Ein Beispiel für ein genaues, meist hartes **Schneiden im Takt** ist der Clip von den *White Stripes* (siehe S. 7, DVD Clip 2). Eine ganz andere Wirkung entsteht, wenn etwa nur auf Off-Beats geschnitten wird oder gar bewusst **gegen den Takt.** Im Clip „Geboren" von den *Fantastischen Vier* (siehe S. 24/25, DVD Clip 8) wird z. B. von sehr genauem Schnitt im Takt mehrfach zu freierem Schnittrhythmus gewechselt und so die Aussage unterstützt.

Die künstlerische Anwendung filmischer Gestaltungsmittel

Oasis: Wonderwall (1997)

6

1991 gründeten Liam und Noel Gallagher, Paul Arthurs, Paul McGuigan und Tony McCaroll die Band *Oasis*. Sie waren Fans der *Beatles*, der *Sex Pistols* und von *The Who*. Mit *Oasis* begann in den 90er-Jahren die sogenannte Britpop-Bewegung. Die Band gewann 1995 den BRIT Award als bester Newcomer und mehrere MTV Music Awards. *Oasis* hat bis 2009 sieben Studioalben veröffentlicht.
In dem in schwarz-weiß gedrehten Videoclip „Wonderwall“ werden viele gestaltungstechnische Elemente kombiniert. Neben dem Spiel mit Einstellungsgrößen, Perspektiven und bewegter Kamera gibt es noch eine Reihe weiterer Effekte aus der Postproduktion:

Farbeffekte

Kaleidoskopeffekt

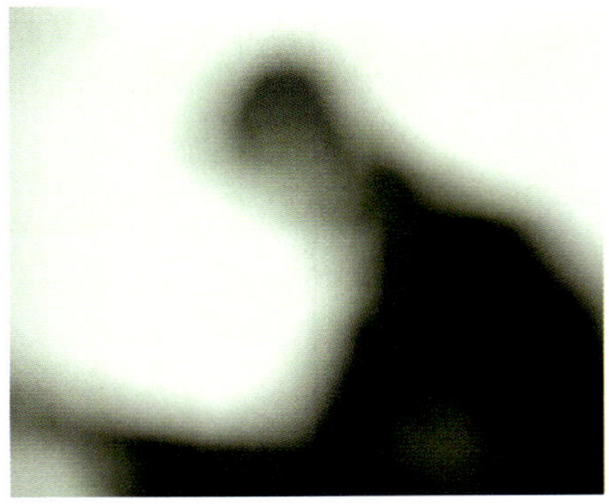

Bildunschärfen

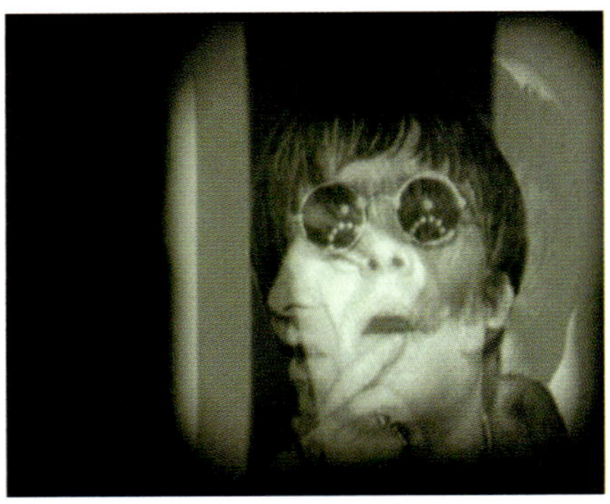

Überblendungen: ein neues Bild entwickelt sich über dem verblassenden alten Bild

Positiv-Negativ-Effekt: schwarz-weiß wird zu weiß-schwarz

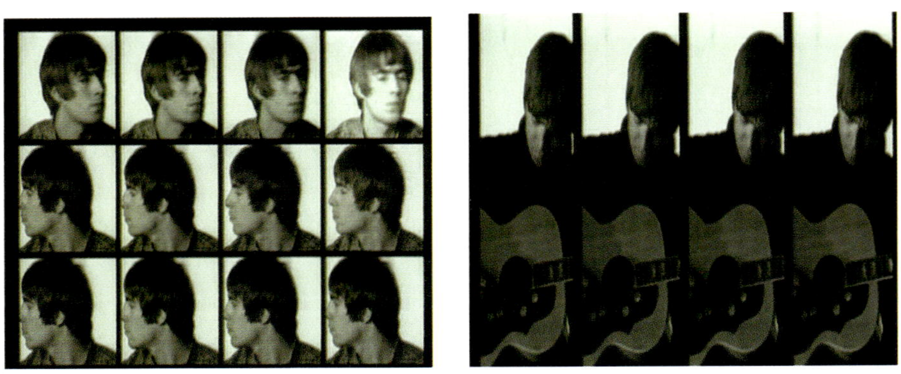

Split Screen („gespaltener Bildschirm“): der Bildschirm wird in mehrere kleinere Felder aufgeteilt

Wonderwall

Strophe
Today is gonna be the day
That they're gonna throw it back to you.
By now you should have somehow
Realized what you gotta do.
I don't believe that anybody
Feels the way I do about you now.

Strophe
Heute wird der Tag sein,
An dem man es dir berichten wird.
Inzwischen sollte es dir irgendwie
Klar geworden sein, was du zu tun hast.
Ich glaube nicht, dass irgendjemand
In diesem Augenblick das gleiche für dich fühlt wie ich jetzt.

Strophe
Backbeat the word is on the street
That the fire in your heart is out.
I'm sure you've heard it all before,
But you never really had a doubt.
I don't believe that anybody
Feels the way I do about you now.

Strophe
Auf den Straßen geht das Gerücht um,
Dass das Feuer in deinem Herzen erloschen sei.
Sicherlich hast du das alles schon mal gehört,
Aber hattest doch nie wirklich irgendwelche Zweifel.
Ich glaube nicht, dass irgendjemand
In diesem Augenblick das gleiche für dich fühlt wie ich jetzt.

Bridge
And all the roads we have to walk
are winding,
And all the lights that lead us there
are blinding.
There are many things that I would
like to say to you,
But I don't know how.

Bridge
Und all die Wege, auf denen wir gehen müssen,
sind voller Kurven,
Und all die Lichter, die uns dorthin führen,
blenden uns.
Es gibt so viele Dinge, die ich
dir gerne sagen würde,
Aber ich weiß nicht wie.

Refrain
Because maybe
You're gonna be the one that saves me.
And after all,
You're my wonderwall.

Refrain
Denn vielleicht
Wirst du diejenige sein, die mich rettet,
Denn schließlich
Bist du mein Ein und Alles.

Strophe
Today was gonna be the day
But they'll never throw it back to you.
By now you should have somehow
Realized what you're not to do.
I don't believe that anybody
Feels the way I do about you now.

Strophe
Heute hätte der Tag sein sollen,
Aber man wird es dir ja doch nie sagen.
Inzwischen sollte es dir irgendwie
Klar geworden sein, was du nicht tun solltest.
Ich glaube nicht, dass irgendjemand
In diesem Augenblick das gleiche für dich fühlt wie ich jetzt.

1. Seht euch zunächst einen Ausschnitt aus dem Clip genauer an (1:51 bis 2:15). Notiert möglichst viele gestaltungstechnische Elemente.

2. Welche musikalischen Elemente unterstützen Traurigkeit und Verwirrtheit des Erzählers? Achtet vor allem auf Instrumente, Sounds, Stimme und Melodie. Welche musikalischen Mittel erzeugen den Eindruck von „Coolness"?

3. Achtet darauf, wie Text, Musik und filmische Details aufeinander reagieren. An welchen Stellen entfernen sich die Filmbilder eher von Text und Musik?

4. Schreibt für ein Pop-Magazin eine kurze Kritik dieses Videoclips. Fasst dazu das Wesentliche über Musik, Text und filmische Mittel zusammen und beurteilt abschließend die Qualität des Clips.

„Wonderwall"

Der Song „Wonderwall" erzählt von einer unglücklichen Liebesgeschichte, denn die Angebetete scheint für den Erzähler nicht mehr erreichbar zu sein. Aber vielleicht ist es ja auch nur ein Gerücht: „Backbeat the word is on the street that the fire in your heart is out". Was bleibt, ist die große Verwirrung.

Massive Attack: Unfinished Sympathy (1991)

7

1 Beschäftigt euch zunächst mit der Musik: Welche verschiedenen „Schichten", d. h. Musikstile, könnt ihr feststellen? Achtet dabei auf Instrumente und Sounds, Rhythmus, Melodie und Stimme. Hört euch auch genau an, wie der Song beginnt und wie er endet.

2 Wie wird eurer Einschätzung nach der Textinhalt musikalisch umgesetzt?

3 Das Video zu „Unfinished Sympathy" wurde ohne Schnitte, nur mit einer einzigen Kamerafahrt auf einer Straße in Los Angeles aufgenommen. Was erfahrt ihr über die Umgebung? Beschreibt, wie die Kamera die Sängerin begleitet. Wie werden ihre Emotionen eingefangen?

4 Interpretiert das Zusammenspiel von Text, Musik und Bildern. Inwiefern besteht zwischen den Szenen auf der Straße und der emotionalen Situation der Frau ein Zusammenhang?

Ende der 1980er-Jahre gründeten Daddy Gee (Grant Marshall), 3D (Robert Del Naja) und Mushroom (Andrew Vowles) die Band *Massive Attack*. Die Musiker arbeiteten mit Samples und vermischten Stilelemente aus Soul, Jazz und Hip-Hop mit Elementen des Dub (eine elektronische Weiterentwicklung des Reggae). Nach dem viel beachteten Debütalbum „Blue Lines" (1991), das auch den Titel „Unfinished Sympathy" enthält, ist die in den 90er-Jahren erfolgreiche Band heute kaum noch aktiv.

Für „Unfinished Sympathy" verpflichteten die Musiker Shara Nelson als Gastsängerin. Ihre ausdrucksvolle Stimme und ihre Präsenz im Videoclip haben maßgeblich zum Durchbruch der Band beigetragen. Der Song ist wie „Wonderwall" ein Lied von unerfüllter Liebe. Allerdings ist die Situation der Frau anders, denn es ist noch keinesfalls klar, ob ihre Hoffnungen und Wünsche unerfüllt bleiben werden.

Unfinished Sympathy

I know that I've been mad in love before, *And how it could be with you* *Really hurt me baby, really cut me baby.* *How can you have a day without a night?* *You're the book that I have opened* *And now I've got to know much more.*	Ich weiß, ich war schon öfters total verknallt, Und dass mir das auch mit dir passieren konnte Tut wirklich weh, Baby, verletzt mich wirklich. Wie kann es einen Tag ohne Nacht geben – Du bist das Buch, das ich aufgeschlagen habe, Und jetzt muss ich einfach viel mehr wissen.
The curiousness of your potential kiss *Has got my mind and body aching,* *Really hurt me baby, really cut me baby.* *How can you have a day without a night?* *You're the book that I have opened* *And now I've got to know much more.*	Die Neugierde auf einen möglichen Kuss von dir Bereitet meinem Kopf und meinem Körper Schmerzen, Es tut wirklich weh, Baby, es verletzt mich wirklich. Wie kann es einen Tag ohne Nacht geben – Du bist das Buch, das ich aufgeschlagen habe, Und jetzt muss ich einfach viel mehr wissen.
Like a soul without a mind *In a body without a heart,* *I'm missing every part.*	Wie eine Seele ohne Geist, In einem Körper ohne Herz, Vermisse ich jeden Teil.
Like a soul without a mind …	Wie eine Seele ohne Geist …

DREHBUCH

Zeit	Liedtext [Thema, Stimmung]	Szenenbeschreibung	Einstellungsgröße und Kamerabewegung
1:29	The curiousness of your potential kiss Has got my mind and body aching.	– Sängerin geht mit entschlossenem Schritt auf einem Fußgängerweg entlang; rechts Häuser und Geschäfte, links die Straße – Mann mit amputierten Beinen (Vietnam?) auf einem Rollbrett folgt der Frau	– frontal – Halbtotale – Kamera (Steadycam) fährt rückwärts im Schritttempo der Sängerin – Bildmittelpunkt: Sängerin
1:37	Really hurt me baby, really cut me baby. How can you have a day without a night? [Unmögliche Liebe, Schmerz]	– links Obdachloser mit voll beladenem Einkaufswagen – von rechts verteilt eine Frau Zettel – Sängerin ignoriert die Frau, Rollbrettmann nimmt einen Zettel	
1:46	You're the book that I have opened And now I've got to know much more. [Frau hat an einem Mann Gefallen gefunden]	– Rollbrettmann liest den Zettel, faltet ihn zusammen – Sängerin und er kommen an einem LKW und an Marktständen vorbei	
1:55	Instrumentales Zwischenspiel, Frauenstimme („Yeah …")	– Marktstand, offenes Auto links	– wie zuvor
2:00		– Sonne wirft Schatten und Licht	
…	…	…	…

Projekttipp

Technisch ist es nicht schwer, einen Videoclip zu produzieren, der ausschließlich aus einer langen, ungeschnittenen Kamerafahrt besteht bzw. ohne Unterbrechung mit einer Handkamera aufgenommen wird. Es bedarf allerdings sorgfältiger Planung, da Wege, Lichtverhältnisse, Tempo und vor allem die „Randgeschichten" genau festgelegt werden müssen.

- Sucht euch eine Musik aus, für die ihr einen Videoclip inszenieren möchtet.
- Wie ist euer Song gegliedert? Welche Stimmung erzeugt die Musik? Wird ein bestimmtes Thema angesprochen?
- Überlegt euch eine „Story" für euren Clip. Der Handlungsablauf muss vor Drehbeginn genau festgelegt werden. Ein präzises Drehbuch, das auch auf die Musik Bezug nimmt, hilft euch bei der Umsetzung.
- Die Hauptfigur kann einen fertigen Soundtrack von einem anderen Sänger/einer anderen Sängerin verwenden oder natürlich auch selbst singen.
- In jedem Fall muss die Filmaufnahme mit einem Playback gemacht werden.
- Sucht eine passende „Location".
- Als Regisseur und Kameramann müsst ihr den Weg der Hauptfigur sowie die Randgeschichten genau und oft genug proben, damit alles mit möglichst wenigen Durchläufen funktioniert.

Deutschrap

Als Anfang der 1980er-Jahre die amerikanische Hip-Hop-Welle Deutschland erreichte, war zunächst nicht klar, dass diese Musik einmal mehr sein würde als eine der vielen kurzlebigen Popmoden. Die neuen Stars hießen Grandmaster Flash, *Sugar Hill Gang* oder Kurtis Blow, die – so dachten manche – möglicherweise bald durch andere Namen und Stile abgelöst werden würden.

Hip-Hop

Hip-Hop war und ist mehr als nur ein Musikstil: atemberaubender, „Rap" genannter Sprechgesang (von engl. „to rap" für „quatschen"), artistischer Breakdance, „Writing" (Graffiti) und nicht zuletzt die Entdeckung des Plattenspielers als Musikinstrument (DJing) – Hip-Hop ist immer ein Zusammenspiel von Bild-, Klang- und Bewegungskunst. Die Vielfalt der Ausdrucksformen hat dazu beigetragen, dass Hip-Hop seit mehr als 20 Jahren zu einem festen Bestandteil unserer Kultur geworden ist – in Deutschland wie überall auf der Welt.

Grandmaster Flash (Joseph Saddler) beim Scratchen

1. Stellt eigene Recherchen zur Kultur und Musik des Hip-Hops an und fasst wesentliche Merkmale dieser Musikrichtung zusammen.

2. Stellt in eurer Klasse ein Hip-Hop-Video vor, das euch besonders gut gefällt. Geht dabei auch darauf ein, wie sich Musik und Bild miteinander verbinden.

Mitte der 80er-Jahre, als die erste Hip-Hop-Begeisterung abzuebben schien, entwickelte sich noch ganz im Verborgenen die deutsche Hip-Hop-Szene. Maßgeblich für den Erfolg des Deutschrap war ab 1992 die Stuttgarter Band *Die Fantastischen Vier,* die eine regelrechte Gründungswelle von deutschen Hip-Hop-Bands auslöste. Gruppen wie *Fettes Brot, Freundeskreis, Advanced Chemistry* oder *Massive Töne* gehören seitdem zum festen Bestandteil dieser Bewegung.
Als Vorbild für die deutsche Szene diente zu Beginn weniger der spektakuläre gewalt-, konsum- und sexorientierte „Gangsta-Hip-Hop" der amerikanischen Westküste (z. B. von Dr. Dre oder *N. W. A.*), sondern eher der politische Hip-Hop der Ostküste von Bands wie *Boogie Down Productions* oder *Public Enemy.* Nicht selten kreisen Texte vor allem des frühen deutschen Hip-Hops daher um gesellschaftliche Themen, die entweder ernst oder auch ironisch verpackt werden.

Die Fantastischen Vier: Geboren (2005)

8

Das 1989 gegründete Quartett *Die Fantastischen Vier* – bestehend aus den Mitgliedern Michael B. Schmidt (Smudo), Andreas Rieke (And.Ypsilon), Michael Beck (Hausmarke) und Thomas Dürr (Thomas D) – erlangte mit dem Titel „Die Da!?!" im Sommer 1992 schnell bundesweit Bekanntheit. 2005 veröffentlichte *Fanta4* – wie die Band auch kurz genannt wird – den Titel „Geboren", in dem sie sich den Lebenskreislauf des Menschen von der Geburt bis zu einem möglichen Leben nach dem Tod zum Thema macht. Auch wenn sich die Musiker locker geben und die Musik groovt, stellen die mittlerweile älter gewordenen Musiker sich ganz grundsätzliche Fragen: „Wo gehen wir hin? Wo kommen wir her? Was ist der Sinn? Ist da noch mehr?"

3. Listet auf, welche philosophischen, gesellschaftlichen, persönlichen und religiösen Themen in „Geboren" angesprochen werden. Was ist eurer Meinung nach die Kernaussage des Textes?

Geboren

© Aule/Arabella/EMI

Strophe
Du wirst geboren – da ist das Licht.
Dein erster Tag – versau das nicht.
Dein letzter Tag – du hast's versaut,
Und du wirst geboren und das weißt du auch.

Und du wirst geboren, was machste draus,
Pflanzt 'nen Baum, baust 'n Haus,
Ziehst da rein, schaust da raus,
Atmest ein und atmest aus.

Und du wirst geboren – blaues Blut,
Abitur – nicht so gut,
Dank deinem Titel aber schick gelebt,
Dick geworden und nix bewegt.

Und du wirst geboren – kerngesund,
Siehst zum Sterben keinen Grund,
Deine Erben warten vergebens,
Denn du wirst geboren
und du bleibst am Leben.

Strophe
Du wirst geboren – Arschgesicht,
Vater sagt – war ich nicht,
Mutter sagt – Pech gehabt,
Fechtet 's an und rechnet ab.

Und du wirst geboren – Mittelstand,
Zwanzig Jahre: Philly Blunt [1],
Dreißig Jahre: Titelblatt,
Vierzig Jahre: nippelst ab.

Und du wirst geboren – unter Wasser,
Künstlerkind – Hundertwasser [2],
Hängst in der Bude – Atemnot,
Hängst im Louvre – nach dem Tod.

Und du wirst geboren – Religion,
Sohn vom Sohn vom Sohn vom Sohn,
Sohn vom Sohn vom Sohn vom Sohn
Vom Sohn vom Sohn vom Sohn.

Refrain
Wo gehen wir hin? Wo kommen wir her?
Was ist der Sinn? Ist da noch mehr?
Gibt's da 'n Tunnel? Ist da 'n Licht?
Ey, Mann, was fragste mich? Ich weiß es nicht.
Und ich atme ein, und ich atme aus.

Worterklärungen:
1 *„Blunt"* = Szenewort für „Joint" und für ein Hip-Hop-Stück; „Phillies Blunt" ist der Name einer amerikanischen Tabakmarke; außerdem heißt ein Hip-Hop-Label in New York „philly blunt"
2 *Friedensreich Hundertwasser (1928 – 2000)* = österreichischer Maler und Bildhauer

4 Der Clip zeigt die Band überwiegend beim Musizieren. Zugleich wird aber beinahe der gesamte Text in Bildelemente „übersetzt" und zusätzlich noch eine Handlung eingefügt. Tragt zusammen, welche typischen Elemente einer Hip-Hop-Performance der Clip enthält und welche Bilder und Handlungselemente vor allem als „Übersetzungen" der Textinhalte dienen.

5 Typisch für Hip-Hop-Videos ist, dass musikalischer Rhythmus und Schnittrhythmus aufeinander abgestimmt werden.
Konzentriert euch auf den Bild-Musik-Rhythmus und beschreibt anhand von Beispielen, wie die Bilder konkret auf die Musik abgestimmt sind.

6 „Geboren" behandelt mit Geburt und Tod die vielleicht wichtigsten Themen des Menschen. Wie beurteilt ihr vor diesem Hintergrund Machart und Wirkung des Clips? Sind die textlichen, musikalischen und filmischen Mittel eurer Auffassung nach für das Thema angemessen?

Cora E.: Schlüsselkind (1997)

9

Cora E. (Sylvia Macco) gilt neben Gruppen wie *Advanced Chemistry* als Pionierin des deutschsprachigen Rap. Etwa Mitte der 1980er-Jahre begann sie, auf Deutsch und Englisch zu rappen, und stand 1988 erstmals auf der Bühne. Musik und Texte von Cora E. wurden entscheidend von der New Yorker Hip-Hop-Szene beeinflusst. In New York verbrachte sie insgesamt zwei Jahre, bevor sie ab 1992 mit dem Hamburger DJ und Produzenten Marius No. 1 zusammenarbeitete und sich als eine der wenigen Frauen im Hip-Hop einen Namen machte. 1997 machte sie mit der Single „Schlüsselkind" erstmals außerhalb des Undergrounds auf sich aufmerksam. In diesem Text, in dem sie ihre eigene Biografie verarbeitet, spielt sie auch auf die amerikanischen Wurzeln des deutschen Hip-Hops an: „Die Welle aus Amerika spülte mich wieder ans Land zurück". Außerdem nennt Cora E. die US-amerikanische Rapperin Roxanne Shanté als musikalisches Vorbild.

Gegenüber den erfolgreichen *Fantastischen Vier* bleibt sie kritisch: „Wir sind zwei. Nicht fantastisch, sondern echt", heißt es daher in einem Text, und weiter: „Wir gehn mit handgemachten Waffen ins Gefecht. Jedes Wort, jede Silbe, jeder Satz hat's". Zu sehr befürchtet Cora E. offensichtlich den kommerziellen Ausverkauf des Hip-Hops. Ihre Musik hat für sie vor allem die Aufgabe, ein Medium zu sein: für wichtige Botschaften und für gesellschaftskritische Positionen.

Coras Reime und ihr Rapstil wirken im Vergleich zu denen von anderen Bands sperrig und zuweilen sogar stockend. „Ich habe meine Lieder nicht geschrieben, um sie in den Hitparaden zu platzieren", bekennt sie knapp. Trotzdem ist ihre Performance gerade deshalb dicht und intensiv – auch und gerade weil ihr die Glaubwürdigkeit ihrer Inhalte im Zweifelsfall wichtiger ist als ein lässig-cooler Gag.

1 Stellt die Themen zusammen, die Cora E. in „Schlüsselkind" anspricht. Welche der geschilderten Probleme sind eurer Meinung nach verallgemeinerbar? Wie verwendet Cora E. den Begriff „Mittelschicht"?

2 Cora E. ist es wichtig, möglichst glaubwürdig zu sein. Stellt Bild- und Handlungselemente zusammen, die den Eindruck von Glaubwürdigkeit unterstützen.

3 Bevor Cora E. sich ganz dem Rap widmete, trat sie auch als Graffiti-Künstlerin und Breakdancerin auf. Konzentriert euch auf diejenigen Abschnitte in dem Videoclip, in denen deutlich wird, dass Hip-Hop ein „Gesamtkunstwerk" ist, und beschreibt die hier verwendeten Elemente der Hip-Hop-Kultur.

4 Vergleicht die beiden Deutschrap-Videos „Geboren" und „Schlüsselkind" miteinander. Welche Übereinstimmungen und welche Unterschiede könnt ihr feststellen?

Schlüsselkind

Strophe
Ich komm aus einer Mittelschicht,
Die gibt's in Deutschland sicherlich,
Oben waren wir nicht und unten nicht.
Meine Eltern waren geschieden,
Da war ich grade sieben. […]
Wir waren zu dritt, zogen aus
Aus dem großen Haus auf Sylt.
Doch die kleine Wohnung war mir recht,
Denn kein Vater brüllte mehr.
So vermisste ich das Meer.
Mich an die Stadt zu gewöhnen, fiel mir schwer.
Ich wurd' zum Schlüsselkind,
Das sind die Kinder, wo die Eltern nicht zuhause sind.
[…]
Vermisst hab ich nichts, doch du fragst dich,
Wer dein Vater ist, wenn du nur zweimal im Jahr
Post kriegst.
Doch heute ist mir klar,
Es wäre nichts so, wie es ist, wär' es nicht gewesen,
wie es war!

Refrain

Strophe
Ich wollte aufs Gymnasium,
Denn ich bin nicht dumm, doch Fakt war,
Dass das nicht ging, weil die Familie nicht intakt war.
Und damals war das schlimm.
Doch was du lernst aus diesen Dingen,
Kann dir keine Schule beibringen. […]
Ich war grad zehn, als ich anfing auszugehen,
Die Jeans eng zu nähen, um cool auszusehen. […]
Hab mein Taschengeld im Hinterhof verspielt,
siebzehn und vier,
Und war erst zwölf, als ich das erste Bier probier.
Und auch die beste Mutter merkt nicht, dass ihr Kind
Nach Alkohol stinkt, wenn sie selber trinkt.
Schrevenpark, Alter Markt, ich trieb mich rum
Und war dann irgendwann so voll, dass ich fast starb.
Doch warum soll ich mich schämen für das,
was geschah?
Ich wäre heut nicht, wie ich bin, wär' es nicht gewesen,
wie es war!

Refrain

Strophe
[…] Was kennt man vom Leben,
Wenn man Leute Freunde nennt,
Die ihren Joint an Kinder weitergeben?
Ich bin geflogen von den Schulen der Stadt.
Meine Mutter schleppte mich zum Psychologen,
Doch der hat wenig Chance,
Weil seine Mühen so gut wie umsonst sind
Bei einem Kind, das denkt, dass alles stimmt.
Ich ertrank fast, sank, doch hatte Glück:
Die Welle aus Amerika spülte mich wieder ans Land
zurück!
Ich begann zu leben, wurde aktiv und
Hab zum ersten Mal geträumt, ohne dass ich schlief.
Da war etwas, das auf mich wartet, also ging ich,
Etwas, das ich bekommen kann, bleib ich dran.
Also fing es an,
Dass ich etwas, das ich erreichen kann, seh.
Ich wollte rappen wie Shanté.
So verfolgte ich die Spur,
Erfuhr Freundschaft von jedem, der auf meinem Trip
mitfuhr.
Und nur der Glaube gibt mir Kraft und nimmt die
Gefahr,
Jemals zu vergessen, wie es war!

Refrain

Projekttipp

Dreht ein eigenes Video zu einem Hip-Hop-Titel. Stellt zunächst typische Bewegungselemente und Körperhaltungen zusammen. Ihr könnt dabei sowohl auf Clips Bezug nehmen, die ihr in diesem Kapitel kennengelernt habt, als auch andere euch bekannte Performance-Elemente des Hip-Hops einbauen. Natürlich müsst ihr für dieses Projekt auch noch eine passende Location finden (im Kapitel „Praxistipps zur eigenen Produktion von Videoclips“ auf S. 44 findet ihr Hilfen für die Planung eures Drehs). Achtet auf eine gute Abstimmung zwischen Musik und Bild.

Zitat und Original

2005 – Wir sind Helden: Nur ein Wort

10

Der Videoclip zum Song „Nur ein Wort" macht sich das Kommunikationsproblem in einer Liebesbeziehung zum Thema. Mit Texttafeln und pantomimischer Darstellung werden die Gedanken und Wünsche der Partner immer wieder neu und zunehmend intensiver ins Bild gesetzt. Dabei wird der Text nicht einfach nur parallel zum Gesang mitgezeigt. Vielmehr gibt es eine Reihe von Ideen und Effekten, die den Worttafeln ein Eigenleben verleihen.

1. Fasst die Grundaussage des Textes von „Nur ein Wort" zusammen.
2. Welche verschiedenen Möglichkeiten, Wörter zu visualisieren, kommen in diesem Videoclip vor?
3. Nicht alle gesungenen Wörter werden auf Texttafeln gezeigt. Untersucht, wie gesungener Text und Tafeln aufeinander abgestimmt sind und welche Wirkung dadurch entsteht.
4. Wie vermittelt sich das zentrale Anliegen der Sängerin in der Musik? Wie trägt die Videoidee dazu bei?
5. Wie die meisten Popsongs ist auch „Nur ein Wort" in Strophe und Refrain gegliedert. Wie unterscheiden sie sich? Wodurch wird visuell einer möglichen Eintönigkeit bei der Wiederholung der Refrains entgegengewirkt?

Nur ein Wort

Strophe
Ich sehe, dass du denkst,
Ich denke, dass du fühlst,
Ich fühle, dass du willst,
Aber ich hör dich nicht.

Ich hab mir ein Wörterbuch geliehen,
Dir A bis Z ins Ohr geschrien.
Ich stapel tausend wirre Worte auf,
Die dich am Ärmel ziehen.

Bridge
Und wo du hingehen willst,
Ich häng an deinen Beinen.
Wenn du schon auf den Mund fallen musst,
Warum dann nicht auf meinen.

Refrain
Oh bitte gib mir nur ein Oh,
Bitte gib mir nur ein Oh,
Bitte gib mir nur ein,
Bitte, bitte gib mir nur ein Oh.
Bitte gib mir nur ein Oh,
Bitte gib mir nur ein Oh,
Bitte gib mir nur ein,
Bitte, bitte gib mir nur ein Wort.

Strophe
Es ist verrückt, wie schön du schweigst,
Wie du dein hübsches Köpfchen neigst,
Und so der ganzen lauten Welt und mir
Die kalte Schulter zeigst.

Dein Schweigen ist dein Zelt.
Du stellst es mitten in die Welt,
Spannst die Schnüre und staunst stumm,
Wenn nachts ein Mädchen drüberfällt.

Bridge
Zu deinen Füßen red ich mich
Um Kopf und Kragen.
Ich will in deine tiefen Wasser
Große Wellen schlagen.

Refrain

Bridge
In meinem Blut werfen
Die Endorphine Blasen,
Wenn hinter deinen stillen
Hasenaugen die Gedanken rasen.

Refrain

Wir sind Helden

Mit ihrer Single „Guten Tag" landete die Band *Wir sind Helden* 2002 einen Überraschungserfolg in den deutschen Single-Charts. Mit ihrem zweiten Album „Von hier an blind" erreichte sie dann 2005 auf Anhieb Platz 1, im Frühjahr 2006 folgte der bereits zweite Echo (der Musikpreis der deutschen Phono-Akademie). Mit „Soundso" hat die Band 2007 schließlich das dritte Album erfolgreich auf den Markt gebracht. Frontfrau Judith Holofernes und die drei männlichen Mitglieder der Band, Mark Tavassol, Jean-Michel Tourette und Pola Roy, bezeichnen ihren gitarrenpoporientierten Sound ironisch als 38 % Pop, 34 % Punk und 28 % Synthie – „Synthie-Pop-Punk! Na also! Da hätten wir ja eine passende Schublade!".

1965 – Bob Dylan: Subterranean Homesick Blues

11

Die Idee zu ihrem Texttafel-Video verdankt die Band *Wir sind Helden* einem legendären Vorläufer. Bereits 1965 – mehr als 15 Jahre vor dem Start von MTV – produzierte der Filmemacher Donn Alan Pennebaker eine Filmversion des Songs „Subterranean Homesick Blues" von Bob Dylan. Viele betrachten diese filmische Umsetzung als ersten Videoclip überhaupt in der Geschichte der Popmusik. Es wird eine eigene „Wort-Bild-Geschichte" erzählt, in der Dylan weder singt noch Gitarre oder Mundharmonika spielt, sondern lediglich mit Texttafeln ausgestattet ist.

Bob Dylan sieht sich als singender Dichter und als Nachfahre der sogenannten Beat-Generation. Die „Beats" – nicht zu verwechseln mit der berühmten Popband *The Beatles* – war zwischen 1940 und 1960 die erste gegen die Erwachsenenwelt rebellierende (weiße) Jugendkultur in den USA. Ihre wichtigsten Vorbilder waren übrigens keine Musiker, sondern jazzbegeisterte Schriftsteller wie Jack Kerouac (1922–1969) und Allen Ginsberg (1926–1997). Diese experimentierten, nicht selten unter dem Einfluss von Drogen und Unmengen Kaffee, mit „spontanem Schreiben". So entstanden Texte, die mit hohem Tempo und zuweilen ziellos eine Fülle von Gedanken und Erlebnissen aneinanderreihen. Sprachliche Fantasie und die Lust daran, sich zwischen den Grenzen von Sinn und Unsinn zu bewegen, sind typische Kennzeichen dieser Bewegung. Auch Dylans Blues vom „unterirdischen" oder „heimlichen" Heimweh liegt ein Text zugrunde, in dem die Situationen ständig wechseln und Sprachspiele oft wichtiger sind als das Erzählen einer Geschichte. Dylans Beat-Idol Ginsberg spielt in dem Clip übrigens eine kleine Nebenrolle.

Projekttipp

Es ist gar nicht schwer, selbst ein Texttafelvideo herzustellen. Ihr braucht im Prinzip nur eine Videokamera und ein gutes Timing, wenn ihr wie im Dylan-Video ganz ohne Schnitte und mit einer einzigen Kameraeinstellung arbeiten wollt. Auch Vorwärts-rückwärts-Effekte wie bei *Wir sind Helden* können realisiert werden. Hier kommt es dann zusätzlich auf eine gute Abstimmung von Bild und Tonspur an. Wählt dazu einen Popsong aus, den ihr mit Texttafeln und/oder Pantomimen bebildern könnt. Möglicherweise habt ihr ja einen eigenen Song zur Verfügung, der sich für einen selbstproduzierten Videoclip im Bob-Dylan-Stil eignet. Bei jedem Dreh müssen im Vorfeld viele verschiedene Schritte abgestimmt und geplant werden; im Kapitel „Praxistipps zur eigenen Produktion von Videoclips" ab S. 42 findet ihr entsprechende Hilfen.

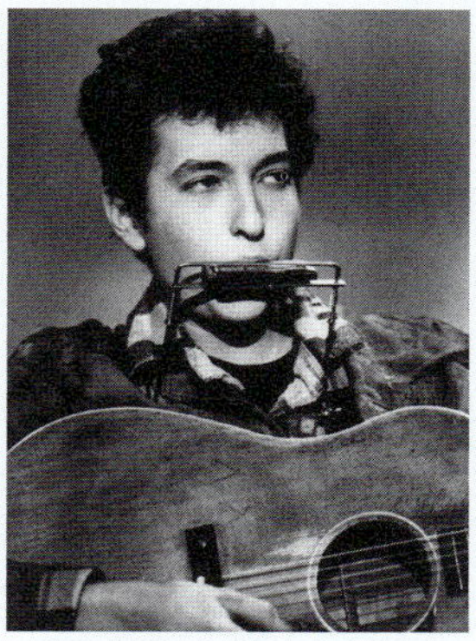

Bob Dylan

Bob Dylan wird 1941 als Robert Allen Zimmerman in Minnesota geboren. 1961 geht er als Kneipenmusiker nach New York und nennt sich von da an Bob Dylan. Von der Folk-Queen Joan Baez gefördert, wird Dylan 1963 mit seinem Song „Blowin' in the Wind" schon bald eine Berühmtheit; er trifft die *Beatles* und die *Rolling Stones,* auf die er großen Eindruck macht und die er nachhaltig beeinflusst. Nachdem der „klassische" Dylan ausschließlich mit Gitarre und Mundharmonika aufgetreten ist, wendet er sich schon Mitte der 60er-Jahre der E-Gitarre zu und tritt mit Bands auf (vor allem mit der Formation *The Band*). Ende der 70er-Jahre bekennt sich Dylan zum christlichen Glauben und beginnt zu missionieren. 1988 startet er mit *The Never Ending Tour* eine Endlos-Tournee, die bis heute andauert. Mit über 2000 Konzerten führte ihn diese Tournee seitdem mehrmals rund um den Erdball.

Subterranean Homesick Blues [1]

1. Johnny's in the basement
Mixing up the medicine
I'm on the pavement
Thinking about the government
The man in the trench coat
Badge out, laid off
Says he's got a bad cough
Wants to get it paid off
Look out kid
It's somethin' you did
God knows when
But you're doin' it again
You better duck down the alley way
Lookin' for a new friend
The man in the coon-skin cap
In the big pen
Wants eleven dollar bills
You only got ten

2. Maggie comes fleet foot
Face full of black soot
Talkin' that the heat put
Plants in the bed but
The phone's tapped anyway
Maggie says that many say
They must bust in early May
Orders from the D. A.
Look out kid
Don't matter what you did
Walk on your tiptoes
Don't try „No-Doz"
Better stay away from those
That carry around a fire hose
Keep a clean nose
Watch the plain clothes
You don't need a weatherman
To know which way the wind blows

3. Ah get sick, get well
Hang around a ink well
Ring bell, hard to tell
If anything is goin' to sell
Try hard, get barred
Get back, write braille
Get jailed, jump bail
Join the army, if you fail
Look out kid
You're gonna get hit
But users, cheaters
Six-time losers
Hang around the theaters
Girl by the whirlpool
Lookin' for a new fool
Don't follow leaders
Watch the parkin' meters

4. Ah get born, keep warm
Short pants, romance, learn to dance
Get dressed, get blessed
Try to be a success
Please her, please him, buy gifts
Don't steal, don't lift
Twenty years of schoolin'
And they put you on the day shift
Look out kid
They keep it all hid
Better jump down a manhole
Light yourself a candle
Don't wear sandals
Try to avoid the scandals
Don't wanna be a bum
You better chew gum
The pump don't work
'Cause the vandals took the handles

1 Verschafft euch unter Zuhilfenahme der Übersetzung einen Überblick über den Text: Stellt zusammen, welche Themen oder Situationen angesprochen werden. Nennt Beispiele für „Beat"-typische Gestaltungselemente.

2 Findet heraus, ob Dylan beim Einsatz der Texttafeln nach bestimmten Prinzipien vorgeht: Welche Textteile werden gezeigt? Sind der gesungene Text und die Wörter auf den Tafeln immer identisch? Welche Funktion könnten die Tafeln haben – innerhalb des Videoclips und darüber hinaus?

3 Vergleicht die Clips von *Wir sind Helden* und Bob Dylan miteinander: Was wurde in „Nur ein Wort" aus Dylans Video übernommen? Was wurde dagegen verändert bzw. was ist grundlegend anders?

[1] soviel wie „Unterirdischer Heimweh-Blues"

Subterranean Homesick Blues (deutsche Übersetzung)

1. Johnny ist im Keller
Mixt sich eine Medizin
Ich steh auf dem Pflaster
Denk an die Regierung
Der Mann im Trenchcoat
Mit Abzeichen, arbeitslos
Sagt, er hätte 'nen schlimmen Husten
Will dafür Entschädigung
Sieh dich vor Kid
Das liegt an etwas, das du getan hast
Gott weiß wann
Aber du machst es schon wieder
Verdrück dich lieber durch die Hintergasse
Such 'nen neuen Freund
Der Mann mit der Waschbärenmütze
Im großen Pferch
Will elf Dollarscheine
Du hast nur zehn

2. Maggie kommt angeflitzt
Das Gesicht voll Ruß
Sagt die Bullen hätten
Wanzen im Bett versteckt, aber
Das Telefon wird sowieso abgehört
Maggie sagt, viele sagen
Anfang Mai müssen sie zuschlagen
Anweisung vom Staatsanwalt
Sieh dich vor Kid
Egal, was du getan hast
Geh auf Zehenspitzen
Hände weg von Hallo Wach
Bleib lieber weg von denen
Die Feuerwehrschläuche herumtragen
Halt die Nase sauber
Pass wegen der Zivilbullen auf
Du brauchst keinen Wettermann
Um zu wissen, woher der Wind weht

3. Werd krank, werd gesund
Lunger bei 'nem Tintenfass herum
Klingel an der Tür, schwer zu sagen
Ob du was verkaufen kannst
Versuch's ernsthaft, du wirst ausgesperrt
Komm zurück, schreib Blindenschrift
Geh in den Knast, lass die Kaution verfallen
Geh zur Army, wenn's nicht klappt
Sieh dich vor Kid
Du kriegst Prügel
Aber Fixer, Betrüger
Mehrfachverlierer
Hängen am Kino rum
Das Mädchen am Whirlpool
Sucht 'nen neuen Trottel
Folg nie Führern
Pass bei Parkuhren auf

4. Werd geboren, halt dich warm
Kurze Hosen, Romanze, lern tanzen
Kleid dich ein, lass dich einsegnen
Versuch, Erfolg zu haben
Sei nett zu ihr, zu ihm, kauf Geschenke
Klau nichts, stiehl nichts
Zwanzig Jahre Ausbildung
Und dann stecken sie dich in die Tagesschicht
Sieh dich vor Kid
Die halten alles geheim
Spring lieber in einen Gully
Steck dir 'ne Kerze an
Trag keine Sandalen
Versuch, Skandale zu vermeiden
Wenn du kein Penner sein willst
Kau lieber Gummi
Die Pumpe tut's nicht
Weil die Vandalen die Schwengel geklaut haben

Typoanimation im Videoclip

Prince: Sign o' the Times (1987)

12

Prince

Prince (Prince Rogers Nelson), 1958 in Minneapolis geboren, gehört zu den schillerndsten und einflussreichsten Popstars der letzten 20 Jahre. In seiner Musik verbindet er auf immer wieder neue Weise Funk und Soul mit aktuellen Elementen aus Rock und Pop. Er überwarf sich Anfang der 90er-Jahre mit seiner Plattenfirma Warner Music und weigerte sich (trotz eines soeben unterschriebenen 100-Millionen-Dollar-Vertrages!) unter dem Namen „Prince" aufzutreten oder Musik zu produzieren. Fortan war er das „Symbol" oder wurde in den Medien als „TAFKAP" (**T**he **A**rtist **F**ormerly **K**nown **A**s **P**rince) bezeichnet. Ab 2001 produzierte Prince in eigener Regie. 2006 kam bei Universal Records seine neue Platte „3121" heraus, die ihn nach 18 Jahren wieder an die Spitze der US-Charts brachte. Für sein ein Jahr später veröffentlichtes Album „Planet Earth" erhielt er einen Grammy.

1. Welche verschiedenen Möglichkeiten der Textanimation kommen zum Einsatz? Erläutert anhand ausgewählter Beispiele den Zusammenhang zwischen der grafischen Gestaltung (Bewegungsrichtung, Tempo, Schriftgröße etc.) und der Textaussage. Berücksichtigt dabei auch zusätzliche grafische Elemente sowie die Farbgestaltung.
2. Wie drückt sich der Rhythmus der Musik in den Bildern aus?
3. Beschreibt, wie die Form des Songs (Strophe, Refrain) visuell umgesetzt wird.
4. Prince beschreibt in seinem Song stichwortartig ein Katastrophenszenario mit überraschendem Happy End. Diskutiert in der Klasse, wie in diesem Video die Textaussage umgesetzt wird.

Sign o' the Times

Oh yeah!
Strophe
In France, a skinny man died of a big disease with a little name,
By chance his girlfriend came across a needle and soon she did the same.
At home there are 17-year-old boys and their idea of fun
Is being in a gang called The Disciples,
High on crack and totin' a machine gun.

Refrain
Time
Times

Strophe
Hurricane Annie ripped the ceiling of a church and killed everyone inside.
U turn on the telly and every other story is tellin' U somebody died.
Sister killed her baby cuz she couldn't afford 2 feed it
And we're sending people 2 the moon.
In September, my cousin tried reefer 4 the very first time,
Now he's doing horse – it's June.

Refrain
Times
Times

Bridge
It's silly, no?
When a rocket ship explodes and everybody still wants 2 fly.
Some say a man ain't happy unless a man truly dies,
Oh why?

Refrain
Time
Time

Strophe
Baby make a speech, Star Wars fly,
Neighbors just shine it on,
But if a night falls and a bomb falls,
Will anybody see the dawn?

Refrain
Time
Times

Bridge
Is it silly, no?
When a rocket blows and … and everybody still wants 2 fly.
Some say a man ain't happy truly until a man truly dies,
Oh why, oh why?
Sign o' the times

Refrain
Time
Time

Strophe
Sign o' the times mess with your mind,
Hurry before it's 2 late,
Let's fall in love, get married, have a baby,
We'll call him Nate
If it's a boy.

Time

1987 veröffentlichte Prince das Album „Sign o' the Times", dessen Titelsong auch als Video ein großer Erfolg wurde. Ganz so, als wolle er bereits hier seine spätere Medienenthaltsamkeit vorwegnehmen, ist von dem Künstler selbst nur dessen Stimme wahrzunehmen. Das Video besteht im Grunde aus nichts anderem als aus dem Songtext selbst. Auf vielfältige Weise werden Buchstaben und Wörter gestaltet, elektronisch bearbeitet und bewegt. Diese Form der Visualisierung von Text wird „Typoanimation" genannt (gezeigt werden Buchstaben-„Typen", die „animiert", also bewegt, werden).
Der Song „Sign o' the Times" macht sich die „Zeichen der Zeit" zum Thema. Prince unternimmt einen Streifzug durch die Probleme der Gegenwart: Aids („the big disease") und Heroinsucht, Gewaltakte krimineller Gangs und die Zerstörungskraft des Hurrikans Annie werden ebenso angesprochen wie die Katastrophen der amerikanischen Raumfahrt und die Kriege in der Welt. Doch am Ende steht nicht die Resignation, sondern der Wunsch nach Liebe und … nach einem Kind!

5 Welche Alternativen zur von Prince gewählten visuellen Umsetzung könnt ihr euch bei diesem Song vorstellen?

6 Was könnte Prince bewogen haben, auf realistische Bilder zu verzichten?

Alex Gopher: The Child (1999)

13

Der französische DJ und Produzent Alex Gopher produzierte 1999 ein Musikstück, das vor allem durch die filmische Umsetzung von Antoine Bardou-Jacquet zu einem Klassiker des künstlerischen Videoclips wurde. Erzählt wird die Geschichte einer rasanten Taxifahrt, durch die Gopher und seine schwangere Frau gerade noch rechtzeitig zur Geburt eine New Yorker Klinik erreichen. Bardou-Jacquet zeigt keine realen Bilder, sondern animiert in seinem aufwendigen Trickfilm ausschließlich Wörter, die in die Rolle der Stadt, des Verkehrs und der handelnden Personen schlüpfen.

1 Achtet beim Anschauen des Videos auf die Handlung. Beschreibt möglichst detailliert, was Alex und seine Frau auf dem Weg in die Klinik erleben und mit welchen Personen sie zusammentreffen.

2 Wie transportiert dieses Video Emotionen? Achtet auf
- Töne und Geräusche auf der Handlungsebene,
- Farbgebung sowie grafische Gestaltung der Buchstaben und Wörter,
- Tempo und Bildanimation („Kamerafahrten").

3 Welche Bedeutung hat Alex Gophers Musik für die Wirkung des Videos?

Computergenerierte 3D-Animationen

Animationsfilme entstehen heute mithilfe des Computers: Das zu animierende Objekt (in diesem Fall die Buchstaben) wird zunächst als 3D-Koordinatenkörper konstruiert, dann legt der Künstler sogenannte Schlüsselbilder (Keyframes) fest, die dem Bewegungsablauf des Objekts bzw. der virtuellen Kamerafahrt entsprechen. Dieser Ablauf wird durch Zwischenbilder (Interframes) verfeinert, danach berechnet der Computer automatisch die nötigen Zwischenbilder. Auch echte Videobilder lassen sich in diesen Prozess einbauen (siehe dazu Björk: Jóga, S. 34/35).

EIN WELTSTAR AUS ISLAND UND SEINE LIEBE ZUR HEIMAT

Björk: Jóga (1997)

14

Björks Musik lebt von der Suche nach Unverbrauchtem sowie von der immer wieder neuen Mischung verschiedenster Musikstile. Große Bedeutung haben für sie die menschliche Stimme und die alten isländischen Melodien und Texte. Ihr Album „Medúlla" (2004) ist ganz den vielfältigen Möglichkeiten gewidmet, sich mit der Stimme auszudrücken.
Björk bleibt auch als internationaler Star ihrer Heimat tief verbunden. „Das ist meine Identität – ich habe die Gene von 1100 Jahren in mir", sagt sie. Diese Aussage bezieht sich auf die Geschichte der Insel, die erst im 9. Jahrhundert n. Chr. durch die Wikinger entdeckt und besiedelt worden ist.

Björk

Björk Gudmundsdottir wurde 1965 in Reykjavík/Island geboren. Mit 13 Jahren gründete Björk ihre ersten Punkbands und fand dann über das Experimentieren mit elektronischen Sounds, Alternative Rock, Ambient und Jazz zu einem ganz eigenen Stil.

Björk bei der Eröffnungsfeier zu den Olympischen Spielen 2004 in Athen

1 Inwiefern ist für euch nachvollziehbar, dass Björk mit „Jóga" eine Art persönliche isländische Nationalhymne geschrieben hat?

Björks Verbundenheit mit Island wird auch in ihrem Song „Jóga" deutlich. Sie hat dieses Lied ihrem besten Freund, dem Isländer Jóga, gewidmet und es als „reine, einfache Sache über Freundschaft" bezeichnet. Während der Text vom tiefen, wortlosen Einverständnis spricht, das Björk mit Jóga verbindet, macht sich die Musik die vulkanischen Landschaften zum Thema: einerseits sprudelnde Springquellen, Explosionen und Vulkanausbrüche und andererseits Ruhe, Weite und Einsamkeit – Natur und Mensch im „state of emergency", im Ausnahmezustand. Die Landschaft der Insel steht als Entsprechung für die Landschaften der Seele („emotional landscapes").

Über Island und ihren Song äußert sich Björk:

„Island ist geografisch das jüngste Land auf dem Planeten. Es entwickelt sich noch, wächst und verändert sich und ist sehr rau. Es gibt viel Energie dort, und so sollten die Beats auf ‚Jóga' auch sein. Ich habe viel experimentiert, um den Klang ‚vulkanisch' klingen zu lassen. Ich wollte fast so etwas wie eine Art Nationalhymne schreiben. Natürlich nicht ‚die' Nationalhymne, sondern eine Besinnung auf traditionelle isländische Lieder – sehr romantisch und sehr selbstbewusst."

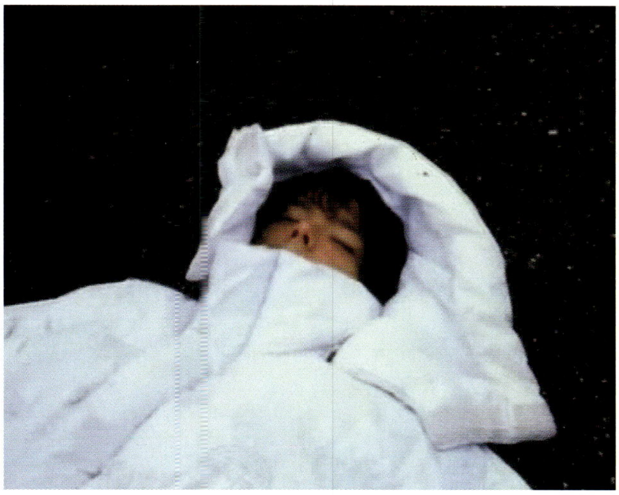

Eine intensive Arbeitsbeziehung entwickelte Björk zu dem französischen Filmemacher Michel Gondry, mit dem sie insgesamt sieben Videoclips produzierte. Als Schlagzeuger der Band *Oui Oui* hat er eine besondere Nähe zum Thema Videoclip. Ebenso wie Björk liebt Gondry das Experimentieren. So fügt er in seine Filme oft Trickfilmelemente und Computeranimationen ein, verwendet ungewöhnliche Kameraperspektiven und eine eigenwillige Farbgestaltung. Auch die Technik des Morphings, bei der Personen, Gegenstände oder ganze Landschaften durch elektronische Bildbearbeitung allmählich verändert werden, gehört zu den bevorzugten Techniken Gondrys. Die Bilder zu „Jóga" wurden elektronisch bearbeitet und teilweise in aufwendige Computeranimationen verwandelt.

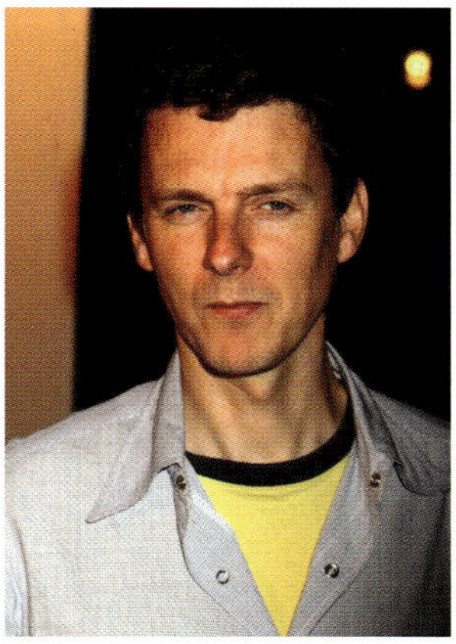

Der Regisseur Michel Gondry

2 Beschreibt möglichst genau die verschiedenen musikalischen Schichten des Songs (Sound/Instrumente, Rhythmus und Melodie).

3 Fertigt eine Grafik (Partitur) an, die den Verlauf des Stückes als musikalische Klanglandschaft anschaulich macht.

4 Beschreibt die Motive und die verschiedenen Perspektiven, die Michel Gondry für das filmische Porträt über Island gewählt hat.

5 Welche Bildsequenzen wurden möglicherweise digital bearbeitet? Welche besondere Wirkung entsteht dadurch?

6 Als Schlagzeuger ist Gondry besonders sensibel für Rhythmus. Wie macht sich dies in der Bildführung bemerkbar?

Jóga

Strophe
All these accidents that happen
Follow the dot.
Coincidence makes sense
Only with you.
You don't have to speak –
I feel.

Strophe
All die Zufälle, die geschehen –
Sie folgen einem Muster.
Nur mit dir ergibt das Zufällige einen Sinn.
Du musst nichts sagen –
Ich spüre es.

Bridge
Emotional landscapes
They puzzle me.
Then the riddle gets solved
And you push me up to this

Bridge
Gefühlslandschaften
Verwirren mich,
Doch dann wird das Rätsel gelöst,
Und du treibst mich in diesen

Refrain
State of emergency,
How beautiful to be.
State of emergency
Is where I want to be.

Refrain
Ausnahmezustand:
Wie wunderschön ist es, zu sein.
Ausnahmezustand:
Im Ausnahmezustand will ich sein.

Projekttipp

Welche Thematik könnte eure „persönliche Hymne" aufgreifen? Wie klingt die Gegend, in der ihr lebt? Nehmt mit einem Aufnahmegerät Geräusche, Klänge und Stimmen auf. Erzeugt mit einem Sequenzerprogramm einen Groove aus einem Rhythmus- und evtl. Akkordpattern und montiert darüber die gesammelten Sounds zu einem eigenen Musikstück. Für eure Hymne soll anschließend ein Videoclip gedreht werden. Welche Bildmotive würdet ihr auswählen? Tipps zum Erstellen eigener Videoclips findet ihr ab S. 42. Bei diesem Projekt ist die Nachbearbeitung am Schnittcomputer besonders wichtig. Vielleicht habt ihr dabei auch die Möglichkeit, die aufgenommenen Bilder elektronisch zu bearbeiten.

Zwei Videoclips über New York

Lauryn Hill: Everything Is Everything (1998)– Die Stadt als Turntable

15

Das Video zu „Everything Is Everything" aus Lauryn Hills Soloalbum „The Miseducation of Lauryn Hill" macht die Halbinsel Manhattan zu einem gigantischen Plattenteller eines sogenannten „1210er", dem klassischen Arbeitsgerät der DJs. Das Empire State Building bildet die Plattentellermitte. Der Zuschauer sieht, wie das Abtastsystem des Plattenspielers zwischen den Straßenschluchten nach unten fährt. Langsam setzt die Nadel auf, Vinylknistern erklingt. Das Metall der Nadel findet die Rille: Der „Tonarm" – die Brooklyn Bridge – fährt durch Straßenschluchten, durch die Rinnsteine, vorbei an Parks, Wohnhäusern, Geschäften, Ampeln sowie Menschen mit ihren Erlebnissen. Das gesamte Stadtleben wird zum Material für eine Plattenrille, der offensichtlich nichts entgeht. Alles wird von der Nadel angestoßen und in Schwingungen versetzt. Musik beginnt – ein Lied der Straße, von den Menschen in den Straßen, von den Dingen des Lebens: Hip-Hop. Eine riesige DJ-Hand senkt sich auf die Stadtplatte, ruckt am Teller, scratcht nicht nur Töne und Rhythmen, sondern bringt das ganze Stadtleben zum Vibrieren.

Lauryn Hill – Von der Tellerwäscherin zur Plattenmillionärin

Gerade dreizehn Jahre alt gründete die 1975 geborene Lauryn Hill zusammen mit dem Musiker, Songwriter und Produzenten Wyclef Jean und dem Rapper Pras Michel 1988 die Band *The Fugees*. Wie viele aufstrebende und mittellose Popkünstler verbrachte die Sängerin und Rapperin neben der Musik viel Zeit mit Gelegenheitsjobs (u.a. auch als Tellerwäscherin), bis sie und die Gruppe vor allem durch ihre Version des Hits „Killing Me Softly" bekannt und erfolgreich wurden. Der Titel war 1996 neun Wochen lang auf Platz 1 der deutschen Charts. Das *Fugees*-Album „The Score" brachte es auf 17 Millionen verkaufte Exemplare und wurde so zum wirtschaftlich erfolgreichsten Hip-Hop-Album aller Zeiten. 1998 veröffentlichte die Sängerin ihr erstes Soloalbum mit dem Titel „The Miseducation of Lauryn Hill". Mit diesem Album erreichte sie elf Nominierungen für den Grammy Award und gewann diese wichtige Auszeichnung als erste weibliche Künstlerin in fünf Kategorien.

Lauryn Hill beim Videodreh zu „Everything Is Everything"

Ein „Technics SL-1210 MK2" – das Arbeitsgerät professioneller DJs

Eine DJ bei der Arbeit mit zwei Plattenspielern

DJ beim Scratchen

Die Botschaft Lauryn Hills in „Everything Is Everything" ist komplex. Denn „Alles bedeutet alles" heißt für die Rapperin, dass das alltägliche Leben in einer Stadt wie New York immer und überall mit ihrer afroamerikanischen Geschichte zusammenhängt. Das zeigt sich auch an der Verwendung des Black American English, das zum Teil andere Wörter (wie „ya" statt „you") verwendet und auch in der Grammatik einige Unterschiede zum Standard American English aufweist.
Lauryn Hill berichtet zunächst vom harten Leben der Afroamerikaner, die so oft „das Spiel verlieren", dessen Regeln sie nicht gemacht haben. Dieser Zustandsbeschreibung setzt sie ein „Philosophieren" über ihre „schwarze" Identität und Kultur entgegen, die sie zu einer schlagwortartigen Gedankenkette verdichtet. Sie vermutet offensichtlich selbst, dass man sie nicht versteht („vielleicht spreche ich Zungensprache"), wenn sie den Herzschlag des Rhythmus, den Ursprung der Afroamerikaner im abessinischen Ostafrika (heute: Äthiopien) und das Rappen als „Straßenpredigt" rasant zusammenmontiert. In der typischen „Angeber"-Pose des Hip-Hops – dem sogenannten „Boasting" – preist sie sich auch selbst als hervorragende Rapperin an, die alle Konkurrenten (die anderen Rapper bzw. „MCs"[1] und Schauspielerinnen) aussticht. Ganz unbescheiden weiß sie sich weltweit („across the atlas") als die Beste, die es mit gleich zwei Cleopatras aufnimmt und der ägyptischen Königin Nefertiti (bei uns bekannt als Nofretete) Graffitis aufs Grab „bomben" möchte.
Aber auch die komplexen politischen und religiösen Dimensionen der afroamerikanischen Kultur werden aufgenommen. Zum einen erwähnt Lauryn Hill „Sister Betty", die Ehefrau des ermordeten US-amerikanischen Führers der schwarzen Bürgerrechtsbewegung Malcolm X, zum anderen stellt sie eine Verbindung des Hip-Hops zur Erlösungshoffnung der Bibel her („where hip hop meets Scripture").

Scratchen

Mit Scratchen („Kratzen") bezeichnet man das rhythmische Hin- und Herbewegen des Plattentellers, wobei die Töne mithilfe eines Reglers (Crossfader) ein- und ausgeblendet werden können. Scratchen gehört neben dem Mixing (dem Zusammenmischen und dem Überblenden verschiedener Musiknummern) zu den zentralen musikalischen Techniken des Hip-Hops und der DJ-Kultur.

Nationalflagge Äthiopiens mit Löwensymbol des Königshauses („Lion of Juda"), 1897 – 1936 und 1941 – 1974

1 MC = Master of Ceremonies. Bezeichnung für Rapper, die daher rührt, dass sich das Rappen aus den „Ansagen" des gastgebenden DJs zwischen den Musiktiteln entwickelt hat.

1 Beschreibt einige auffallende visuelle Elemente des Clips. Konzentriert euch dabei sowohl auf die auftauchenden kleinen „Straßengeschichten" und die durch den überdimensionalen Plattenabtaster entstehenden Effekte als auch auf die Darstellung der Rapperin und auf unmittelbares Zusammenwirken von Musik und Bild.

2 Verschafft euch auf Basis der unten stehenden Erläuterungen einen Überblick über den Inhalt des Songs „Everything Is Everything" und überlegt, welchen Zusammenhang man zwischen der komplexen Botschaft Lauryn Hills, den Bildern und der Musik herstellen kann.

3 Plattenspieler gelten vielen seit der Einführung von Compact Disc und MP3 als technisch überholt. Überlegt, welche Gründe für das Überleben und den besonderen Stellenwert der Vinylplatten besonders im Bereich der DJ-Kultur maßgeblich sind.

4 „Everything Is Everything": Amerika und das Problem des Rassismus, Malcolm X und die afroamerikanische Islambewegung, Reggae und die Rastafari, afroamerikanische Musik und die Heilige Schrift, Lauryn Hill und Bob Marley … Stellt Recherchen zu den genannten Stichwörtern an und macht euch ein Bild von einigen wichtigen Aspekten der afroamerikanischen Geschichte und ihrer Musik.

Everything Is Everything

Refrain
Everything is everything
What is meant to be, will be.
After winter, must come spring
Change, it comes eventually.

Strophe
I wrote these words for everyone
Who struggles in their youth,
Who won't accept deception
In-Instead of what is truth.
It seems we lose the game
Before we even start to play.
Who made these rules?
We're so confused
Easily led astray.
Let me tell ya that

Refrain
Everything is everything,
Everything is everything.
After winter, must come spring
Everything is everything.

Strophe
I philosophy,
Possibly speak tongues,
Beat drum, Abyssinian, street Baptist,
Rap this in fine linen
From the beginning.
My practice extending across the atlas,
I begat this
Flippin' in the ghetto on a dirty mattress.
You can't match this rapper / (slash) actress,
More powerful than two Cleopatras,
Bomb graffiti on the tomb of Nefertiti,
MCs ain't ready to take it to the Serengeti.
My rhymes is heavy like the mind of Sister Betty,
L. Boogie spars with stars and constellations
Then came down for a little conversation.
Adjacent to the king, fear no human being,
Roll with cherubims to Nassau Coliseum,
Now hear this mixture
Where hip hop meets scripture,
Develop a negative into a positive picture.

Refrain
Now, everything is everything
What is meant to be, will be.
After winter, must come spring
Change, it comes eventually.

Strophe
Sometimes it seems
We'll touch that dream
But things come slow or not at all,
And the ones on top, won't make it stop
So convinced that they might fall.
Let's love ourselves then we can't fail
To make a better situation.
Tomorrow, our seeds will grow,
All we need is dedication.
Let me tell ya that

Refrain
Everything is everything,
Everything is everything.
After winter, must come spring
Change, it comes eventually.

La-La-La- …

Worterklärungen:
to lead astray = in die Irre führen
ya = Slang für „you"
to speak tongues = „in Zungen sprechen" mit „Zungensprache" ist eine unverständliche, zumeist in religiöser Ekstase unbewusst hervorgebrachte Lautsprache gemeint
Abyssinian = alte Bezeichnung für Äthiopien (Ostafrika), das nach Auffassung der Rastafari den Ursprung der Zivilisation darstellt
street Baptist = Straßenprediger
(I) rap this in fine linen from the beginning. = Ich bin immer eine hervorragende Rapperin gewesen.
to beget (begat) = zeugen, hervorbringen
to match = sich messen mit, ebenbürtig sein
tomb = Grabmahl
Nefertiti = Nofretete ägyptische Königin, Hauptgemahlin Pharao Echnatons lebte im 14. Jh. vor Christus
MC = Master of Ceremony, in der Hip-Hop-Kultur als Synonym für Rapper benutzt
Serengeti = Savanne, die sich von Nord-Tansania bis Süd-Kenia erstreckt „Serengeti" nennt sich jedoch auch ein Hip-Hop-Künstler aus Chicago
Sister Betty = Betty Shabazz, Ehefrau des 1965 ermordeten Führers der afroamerikanischen Islam-Bewegung in den USA, Malcolm X
L. Boogie = Rapkünstler L. Boogie Lauryn Hill firmiert auch unter dem Künstlernamen L-Boogie
to spar = sich streiten „sparring" ist auch eine Trainingsform verschiedener Kampfsportarten
adjacent = Nachbar, benachbart
Cherubim = geflügelte Fabelwesen, im religiösen Kontext Engel sie sind die Wächter des Paradieses und die Träger des Throns Gottes
Nassau Coliseum = Veranstaltungsort in New York
scripture = religiöse Texte auch: die Heilige Schrift

Leftfield/Afrika Bambaataa: Afrika Shox (1999) – „… that's the way we say Zulu"

16

„Mr. Hip-Hop" Afrika Bambaataa

Seit den 1970er-Jahren ist der 1957 in New York als Lance Kahyan Aasim geborene Afrika Bambaataa eine der stilprägenden Figuren des Hip-Hops. Aufgewachsen in dem durch soziale Probleme und hohe Kriminalität geprägten Stadtbezirk Bronx, war er bald auch Mitglied der berüchtigten Straßengang *Black Spades*. Als sein bester Freund vor seinen Augen erschossen wurde, verließ er die Gang und wandte sich der Musik zu. Seitdem hat er als „Mr. Hip-Hop" weltweite Berühmtheit erlangt. Afrika Bambaataa verfügt über ein breit gefächertes musikalisches Spektrum, integrierte schon früh Elemente elektronischer Popmusik in den Hip-Hop und entwickelte daraus als eigenen Stil den sogenannten „Electro Funk". Die Verbindung von schwarzer, stark rhythmusorientierter Funk-Musik mit den Möglichkeiten elektronischer Klangerzeugung führte ihn zur Zusammenarbeit mit Techno-DJs wie WestBam oder dem Produzenten-Duo *Leftfield*.

1999 produzierten *Leftfield* und Afrika Bambaataa gemeinsam den Titel „Afrika Shox". Unmittelbar vor der Jahrtausendwende wollte Bambaataa deutlich machen, dass die sozialen Probleme der afroamerikanischen Bevölkerung in den USA keineswegs gelöst sind, sondern auch das neue Jahrtausend bestimmen werden. Der Electro Funk wird so zur Zukunftsmusik: Schwarze und weiße Musik (Hip-Hop und Techno) sowie schwarze und weiße Musiker (der Afroamerikaner Bambaataa und das weiße Duo *Leftfield*) verbinden sich zu einer gemeinsamen Botschaft des Zorns über die bestehende Welt und äußern den Wunsch, dass die Vorstellungen von Frieden und Gerechtigkeit der „Zulu Nation" erfolgreich seien: „The world is on fire, can I take you higher. Electric get flowing and the Funk don't stop. Time to clear the floor and let the Zulu's rock".

Der zum Teil elektronisch verfremdete Text von „Afrika Shox" besteht überwiegend aus Schlagwörtern, mit denen Afrika Bambaataa sich und seine „Zulu Nation" zum Thema macht.

Das britische Duo *Leftfield* brachte bis zu seiner Trennung im Jahr 2002 zwei von der Kritik gefeierte Alben heraus.

Leftfield

Das Duo *Leftfield*, bestehend aus den beiden Schlagzeugern Neil Barnes und Paul Daley, fand sich im Jahr 1989 zusammen. Die beiden Produzenten verschrieben sich einer anspruchsvollen Mischung aus Techno und experimenteller Musik – auch „Intelligent Dance Music" (IDM) genannt – und wurden bald auch als Remixer von Stars wie David Bowie angefragt.

Afrika Shox

Electric get on flowing and the Funk don't stop.
Electric get on flowing and the Funk don't stop.
Electric get on flowing and the Funk don't stop.
Time to clear the floor and let the Zulu's ro-ro-ro-rock
Afrika Bambaataa!

Afrika Bambaataa
Feel the rhythm of Afrika Bambaataa!

Are you ready for the new age?
They're setting the stage
For the renegades
To control your mind,
They planned it yesterday
Fffffff-free
Zulu nation here to stay.

Let's get electrofied, let's get electrofied. (4 x)

Pump it, rockin' it, stickin' it, funkin' it, Afrika.
Pump it, rockin' it, stickin' it, funkin' it, Zulu nation.
Z-U-L-U that's the way we say Zulu,
Z-U-L-U that's the way we say Zulu,
Zulu nation, City of Angels, (2 x)
Afrika Bambaaaaaataaaa,
Zulu nation.

Electro funk, electro funk, electro funk, future shock,
Weee want your funk – Afrika,
Weeeeeeee waaaant youuuur funk!

Let's get electrofied, let's get electrofied. (4 x)

The world is on fire, can I take you higher,
The world is on fire,
Zulu nation,
Hahahahahahaha future,
Hahahahahahaha future.

Electric get flowing and the Funk don't stop,
Time to clear the floor and let the Zulu's rock,
Hail the ceaseful blowin', and the great big drop,
Cheers to the music and let there be be sh-sh-sh-shock.

The year 2000 is on the way, some say,
The year 2000 has been here since yesterday.

Electric beats
Electric beats
We're Zuluuuuuuuuuuuuuuuuuuus

„Do you need a hand?"

Z-U-L-U that's the way to say Zulu. (2 x)

1 Hört euch den Song „Afrika Shox" an. Verfolgt den Text und achtet darauf, welche klanglichen Mittel eingesetzt werden. Beschreibt die elektronischen Sounds sowie den Einsatz der verwendeten Instrumente.

2 Welche einzelnen Wörter und Textbotschaften werden durch die Musik verdeutlicht oder verstärkt? Wie endet die Musik?

„Zulu Nation"

Bei der „Zulu Nation" handelt es sich um ein Netzwerk von Hip-Hop-Aktivisten. Gegründet wurde die Nation Anfang der 1970er-Jahre von Afrika Bambaataa als Reaktion auf den Verlust enger Freunde, die bei Auseinandersetzungen verfeindeter Gangs ums Leben kamen, sowie unter dem Einfluss des Films „Zulu" mit Michael Caine. Der Film handelt von einem Zulukönig, der im 19. Jahrhundert einen Aufstand gegen die englischen Besatzer anführte. Bambaataa übernahm die Idee des Stammes, verband diese mit pop- und volkskulturellen Versatzstücken aus Science-Fiction-Comics und populären „Indianer"-Mythen und schuf auf diese Weise eine Gemeinschaft, die sich im Laufe der Jahre zu einer global agierenden „Gang" bzw. einer global agierenden Hip-Hop-Community entwickelt hat. Die „Zulu Nation" versteht sich als eine geistige Gemeinschaft, die für soziale Gerechtigkeit, gegenseitigen Respekt und Völkerverständigung eintritt.

Der Film- und Videoregisseur Chris Cunningham hat in New York ein spektakuläres Video zu „Afrika Shox" gedreht, das im Manhattan des Jahres 1999 spielt.

Wir befinden uns im Umfeld des (am 11. September 2001 durch einen terroristischen Angriff zerstörten) World Trade Centers: ein blinkendes Polizeiauto – ein Security-Mann telefoniert – aus einer dunklen und schmuddeligen Ecke löst sich die Figur eines Afroamerikaners, der schon gleich zu Beginn etwas Fremdartiges und Unwirkliches an sich zu haben scheint. Er läuft und torkelt durch das Bankenviertel, bis er schließlich stürzt und dabei seinen linken Unterarm einbüßt, der wie Porzellan zerschellt. Niemand unternimmt etwas, die Passanten ziehen allenfalls die Augenbrauen hoch. Der „Porzellan-Mann" scheint seiner eigenen Wahrnehmung nicht zu trauen oder er versteht einfach nicht, was mit ihm passiert. Zwei weitere Male verliert er Gliedmaßen, einmal den rechten Unterschenkel und das andere Mal den rechten Unterarm.
In diesem Zustand trifft er auf eine überwiegend weiße Breakdance-Gruppe, die ihn allerdings nicht weiter beachtet. Er stürzt zu Boden, worauf ihn ein als afrikanischer Zauberer ausstaffierter „Zulu" (Afrika Bambaataa) freundlich fragt: „Do you need a hand?". Wieder aufgerichtet humpelt der einbeinige und armlose Mann zurück in das Verkehrsgewühl, in dem er kurz darauf mit einem Polizeiauto kollidiert und komplett zerschellt.

3 In Cunninghams Video greifen Bilder, Musik und Text auf vielfältige Weise ineinander. Nennt Beispiele dafür,
- wie einzelne Bild- und Handlungselemente die Musik illustrieren,
- wie Tempo und Rhythmus der Musik mit den Bewegungen des „Porzellan-Mannes" zusammenhängen,
- inwieweit die Stimmungen der Bilder durch die Musik verstärkt werden oder wo die Musik den Wirkungen der Bilder eher entgegengesetzt wird.

4 Überlegt, was der Regisseur mit dem drastischen Szenario eines zerschellenden Menschen zum Ausdruck bringen wollte. Stellt Zusammenhänge zur Textbotschaft von „Afrika Shox" und zu den gesellschaftspolitischen Vorstellungen Bambaataas und seiner „Zulu Nation" her.

5 Informiert euch über die verschiedenen radikalen und gemäßigten Strömungen innerhalb der schwarzen Bürgerrechtsbewegung in den USA und macht euch ein Bild von deren Anliegen und politischen Strategien.

Von grossen Vorbildern lernen

17

Bei der Produktion eines eigenen Videoclips kann man von großen Vorbildern viel lernen: Die Auswahl der Motive, ihre Übertragung in die Filmsprache (siehe auch S. 16 – 19), besonders aber die Postproduktion (der Schnitt) bekannter Videoclips sollten an möglichst vielen Beispielen genau analysiert werden und als Anregung dienen.
Um die oft recht raschen Schnitte gut erkennen zu können, sollte man das Video auch im Einzelbildmodus ansehen (funktioniert meistens mit den Pfeiltasten).

Info

Michael Jackson und die Bedeutung seiner Videoclips

Michael Jackson (1958–2009) hat in den 1980er-Jahren das junge Genre „Videoclip" entscheidend geprägt. Er war damals nicht nur bereits ein internationaler Superstar, sondern auch der Star des ersten Siegeszuges des Musikfernsehens. Der Videoclip zu „Thriller" (1983) verhalf dem Genre zu einem festen Platz in den amerikanischen Musikcharts.
In den 90er-Jahren wurden Videoclips immer perfekter durchdacht und inszeniert. Insbesondere die damals noch sehr aufwendige digitale Bild- und Videobearbeitung hielt Einzug in die Videoclip-Produktion. Ein frühes Beispiel dafür ist „Black or White" (1991), vor allem wegen seiner Morphing-Sequenzen gegen Ende des Clips. Der Song war eine Auskopplung aus Michael Jacksons Album „Dangerous" und wurde in vielen Ländern der Welt ein Nummer-Eins-Hit. Die Botschaft, dass Menschen aller Hautfarben gleich seien („I said if you're thinkin' of being my brother, it don't matter if you're black or white."), erhält angesichts der Tatsache, dass Michael Jackson immer „weißer" sein wollte, eine schillernde Bedeutung.
Die Regie bei dem Videoclip führte wie bei „Thriller" John Landis („Blues Brothers"). In den eigentlichen Musikszenen sieht man Michael Jackson mit traditionellen Vertretern verschiedener ethnischer Gruppen tanzen. Am Ende des Clips kommen die Morphing-Effekte zum Zug: Die Köpfe eines Sängers/einer Sängerin verwandeln sich in Menschen anderer Hautfarbe bzw. ethnischer Herkunft.

1 Verfolgt die Analyse des Ausschnitts aus dem bekannten Videoclip „Black or White" mit Michael Jackson. Setzt in ähnlicher Weise eine eigene Tabelle fort und untersucht so auch andere Clips.

Eine Analyse von Michael Jacksons „Black or White"

Spielhandlung vor Beginn des Songs: Ein Junge nervt seinen Vater mit lauter Musik; der brüllt ihn in seinem Zimmer an und schlägt danach die Tür zu. Der Junge baut daraufhin im Wohnzimmer eine Monsteranlage auf und dreht auf volle Lautstärke. Beim ersten Ton der E-Gitarre wird der Vater mitsamt Lehnstuhl in den Himmel katapultiert.

	Zeit	Kamera	Inhalt und Wirkung	Bemerkungen
1	0:09	Kameraschwenk aus der Totalen nach unten bis halbnah; dann Schwenk nach oben, Halbtotale	afrikanische Landschaft, Überblick; Gruppe von Löwen; ein Löwe schlägt mit dem Schwanz und faucht; Gruppe von afrikanischen Kriegern	offenbar Außenaufnahmen, dabei war die Beteiligung von Michael Jackson (MJ) nicht notwendig
2	0:24	halbnah	bemalte Krieger kommen näher, furchterregend	von hier an „Gegenschnitte" Krieger – Löwe
3	0:26	halbnah	Löwe, knurrt	
4	0:27	Großaufnahme	anderer Löwe, knurrt	
5	0:28	halbnah	Krieger mit Schild kommt näher; Spannung steigt	
6	0:29	halbnah	Löwe von 3	
7	0:30	Totale	Krieger bewegen sich von rechts nach links; Vater im Lehnstuhl (Spielhandlung vom Beginn) fällt vom Himmel	Von hier an Studioaufnahme!

	Zeit	Kamera	Inhalt und Wirkung	Bemerkungen
8	0:35	halbnah	Vater blickt überrascht den Kriegern nach	
9	0:36	halbnah, vertikaler Schwenk nach oben	MJ tanzt im Kreis der Krieger	
10	0:37	Totale	alle Tänzer	Nur 1/2 Sekunde!
11	0:37	halbnah	Vater blickt entgeistert	„Gegenschuss“
12	0:39	halbnah	MJ und Tänzer	ab hier Schnitt mit drei Einstellungsgrößen
13	0:40	Totale	alle Tänzer wie 10	
14	0:41	Halbtotale	MJ inmitten der Tänzer	Von hier an Studioaufnahme!
15	0:43	halbnah	MJ wie 12	
16	0:45	Halbtotale	MJ und Tänzer wie 14	
17	0:46	Totale	alle Tänzer wie 10	
18	0:47	halbnah	MJ wie 12	Nur 1/2 Sekunde!
19	0:48	Halbtotale	MJ und Tänzer wie 14	
20	0:50	halbnah, Kamera schwenkt mit	MJ wie 12	
21	0:52	Totale	alle Tänzer wie 10	Nur 1/2 Sekunde!
22	0:52	halbnah	MJ wie 12	
23	0:54	Totale	alle Tänzer wie 10	
24	0:55	halbnah	MJ wie 12	
25	0:56	Halbtotale	MJ und Tänzer wie 14	Nur 1/2 Sekunde!
26	0:57	halbnah	MJ wie 12	
27	0:57	Totale, Kamera schwenkt mit	alle laufen nach rechts und „springen“ im Studio in eine neue Dekoration mit Tempeltänzerinnen	
28	1:01	halbnah	MJ kommt ins Bild	

Auswertung für die eigene Praxis

In der ersten halben Minute erzählt die Kamera eine Geschichte, führt in den Schauplatz ein. Gegenschnitte von zwei Einstellungen mit wechselnder Blickrichtung (Löwe/Krieger) verbinden diese und erzeugen Spannung.
Ab dem Beginn des Tanzes steigert sich das Tempo der Schnittfolge. Die hier eingesetzte Technik kann einfach nachgeahmt werden: Dazu wird die Band zur Musik aus dem Lautsprecher (Playback) in drei Einstellungen aufgenommen, einmal total, einmal halbtotal (nur zwei bis drei Musiker), einmal halbnah bis groß (z. B. nur den Kopf der Sängerin). Diese drei Einstellungen können dann beim Schnitt – ein entsprechendes Programm vorausgesetzt – kombiniert werden. Sie werden im Schnittcomputer „übereinandergelegt“ und die Musik „darunter“. Dann werden die drei Einstellungen so lange verschoben, bis der erste gut hörbare Impulsklang aus dem Playback mit dem Ton des Kameramikros genau übereinstimmt. Nun wird bei allen drei Einstellungen der Kameraton gelöscht und nur noch das Playback verwendet. So lässt sich die jeweils gewünschte Einstellung gut auswählen, auch für sehr schnelle Schnittfolgen.
„Black or White“ zeigt aber auch, dass man extrem kurze Einstellungen nicht zu eng aufeinanderfolgen lässt, um einen abwechslungsreichen Schnittrhythmus zu erzielen.
Wie bei den meisten neueren Videoclips ist auch „Black or White“ nicht „im Takt“ geschnitten; die Bildwechsel erfolgen also nicht auf den betonten Schlägen 1 bzw. 3, sondern auf Zwischenschlägen „off beat“. Trotzdem im Rhythmus zu schneiden, ist anspruchsvoll; evtl. sollte beim Schnitt ein rhythmisch versierter Schüler mithelfen. Oft ist es auch sinnvoll, einen Schnitt bereits zwei oder drei Bilder (Frames) „zu früh“ zu setzen, da das Auge einige Zeit braucht, um den Bildwechsel als solchen wahrzunehmen.

Planung einer eigenen Produktion

Das Team

Aufgaben beim Videodreh
Folgende Aufgaben gibt es im Video-Team zu verteilen:
- Drehbucherstellung (1–2 Personen, Mitwirkung aller)
- Regie und Regieassistenz (2)
- Kamera und Beleuchtung (2–3)
- Darsteller (je nach Drehbuch)
- Schnitt (1–2)
- evtl. Audioproduktion

In einem kleineren Team von 8 bis 12 Personen ist die Arbeit an einem Videoclip meistens einfacher als mit der ganzen Klasse, es sei denn, man plant aufwendige Einstellungen mit vielen Akteuren (die aber davor und danach auch nicht leicht „zu beschäftigen" sind). Falls ein Clip zu einer noch nicht vorhandenen Musikaufnahme erstellt werden soll, muss diese vor den Videoaufnahmen – möglichst professionell – produziert werden und als CD vorliegen. Das Thema/der Text des Songs regt oft schon zur filmischen Umsetzung an.
Man muss überlegen, ob in dem geplanten Videoclip eine Geschichte erzählt oder eher einzelne Episoden locker zusammenhängen sollen. Vielleicht findet sich ein „roter Faden", der bildlich durch den Song führt. Es muss außerdem entschieden werden, ob bzw. wie ausführlich die Band im Bild sein soll, ob eher im realistischen oder verfremdeten Stil produziert wird. Mindestens ein Teammitglied muss mit dem Videoschnitt und eventuell auch mit der bildlichen Nachbearbeitung (für Verfremdungen) am Computer vertraut sein. Hilfreich ist es auch, wenn zumindest ein Teammitglied filmische Erfahrung besitzt.
Es ist zu bedenken, dass aus rechtlichen Gründen eine Produktion nicht im Internet verbreitet werden darf, wenn ein „fremder" Song als Vorlage verwendet wurde; auch bei eigenen Songs müssen alle Beteiligten mit der Veröffentlichung einverstanden sein, bevor das Ergebnis des Projekts z. B. auf YouTube gestellt wird.

Die Vorbereitung

Am Drehbuch sollte das ganze Team mitwirken, zumindest Regie und Schnitt. Es braucht nicht aufwendig gestaltet zu sein und könnte – in reduzierter Form – etwa das enthalten, was in der Analyse-Tabelle von „Black or White" (siehe S. 42/43) zu finden ist.
Sollte ein Teammitglied zeichnerisch begabt sein, könnte auch ein „Storyboard" mit Skizzen der geplanten Einstellungen erstellt werden. In jedem Fall sollte der Cutter/die Cutterin an der Erstellung des Drehbuchs beteiligt sein. Im Schnitt ergeben sich sonst häufig Probleme, denn es gibt Regeln, die unbedingt eingehalten werden sollten; so dürfen z. B. gleichartige Einstellungen (z. B. Totale auf Totale) nicht direkt aneinandergereiht werden (siehe auch Tipps zum Schnitt, S. 46). Falls kein entsprechendes Material vorhanden ist, hilft nur Nachdrehen!

Die nötige Technik

Kamera und Zubehör

Schon bei der Wahl der Kamera ist darauf zu achten, dass das Ausgangsmaterial (Band, Disc, Festspeicher ...) mit dem Schnittprogramm kompatibel ist. Nicht jedes Schnittprogramm (insbesondere Freeware) kann alle Dateien lesen, auch der Übertragungsweg (Schnittstelle) auf den Computer muss gewährleistet sein. Am besten ist ein Test im Vorfeld, um – womöglich nach aufwendigen Drehs – unangenehme Überraschungen zu vermeiden.
Extreme Telebrennweiten sind normalerweise nicht erforderlich (schon gar nicht „digitale" Zooms!); „lange" Brennweiten machen ein Bild zwar interessanter, sind aber auch schwieriger zu drehen. Totale Einstellungen sind unproblematischer, aber auch nicht so reizvoll. Trotzdem sollte man nicht auf sie verzichten. Optische Bildstabilisatoren gegen Verwackelungen können ein Vorteil sein, ersetzen aber nie ein Stativ.
Als Dolly-Ersatz eignen sich (bei glattem Boden) Transportwagen mit möglichst großen Gummirollen; auf ihnen finden Kamera mit Stativ samt Kameramann/-frau Platz.

Aufnahme

Im Bild festgehaltene Musiker spielen in der Regel zum Playback: Von CD bekommen sie die Musik zugespielt und bewegen sich möglichst synchron dazu, was insbesondere bei den Lippenbewegungen beim Singen einiger Übung bedarf. Um den Schnitt zu vereinfachen, sollte die Videoaufnahme mit der CD immer von Anfang an mitlaufen, so ist das spätere Synchronisieren leichter. Aufnahmen mit O-Ton (über das Kamera-Mikrofon oder externe Mikrofone während des Videodrehs) sind nur bei einer eventuellen Spielhandlung vor oder nach dem Song nötig. Das Drehen vom Stativ sollte die Regel sein, vor allem bei Zoomfahrten. Nur wenn bewusst viel (auch unregelmäßige) Bewegung erzielt werden soll, kann auch aus der Hand gedreht werden. Allerdings sollten dann die Einstellungen so weitwinklig wie möglich angelegt werden. Bei Großaufnahmen also so nah wie möglich an das Objekt herangehen! Es ist sinnvoll, immer einige Sekunden früher mit der Aufnahme zu beginnen. Das gute alte Kommando „Kamera läuft, Einstellung Nr. XY, die erste/zweite …“ hat auch heute noch seine Berechtigung.

Nachbearbeitung

Für die Nachbearbeitung benötigt man entweder eine „Stand-alone-Lösung“ (wie z. B. den Schnittcomputer „Casablanca“) oder – wohl der häufigere Fall – einen leistungsfähigen Computer mit den entsprechenden Programmen. Die Nachbearbeitung (z. B. Farbverfremdung) des Ausgangsmaterials ist etwas für Spezialisten und Tüftler. Ein möglichst gutes Schnittprogramm benötigt man aber in jedem Fall.
Dieses Programm muss unbedingt das Anlegen einer vorproduzierten Tonspur zulassen und womöglich das „Übereinanderlegen“ mehrerer Videospuren, die durch leichtes Verschieben mit der zuvor angelegten Tonspur synchronisiert werden können. Das Aussuchen und Montieren von Ausschnitten aus diesen Videospuren ist dann kein großes Problem mehr. Mit welchem Programm gearbeitet wird, hängt auch damit zusammen, was es kosten darf. Demoversionen sind dann geeignet, wenn ihr Funktionsumfang groß genug bzw. wenn ihre Laufzeit nicht zu gering ist. Im Normalfall wird man die Videoaufnahmen zuerst in den Computer einspielen und ordnen, dann beginnt die Arbeit des Schnitt-Teams, in der Regel gemeinsam mit dem Regie-Team.

GESTALTUNGSTIPPS

Kamera

Ein guter Videoclip lebt auch von der Fantasie des Kamerateams. Es lohnt sich, unterschiedliche – und auch ungewöhnliche – Blickwinkel auszuprobieren. Es sollte kein Aufwand gescheut werden, wenn man vermutet, dass gerade eine bestimmte Einstellung Spannung erzeugt. Aber Achtung: Wenn das Drehbuch die Einstellungsgröße nicht genau vorschreibt, ist es nötig, ein und dieselbe Szene mehrmals mit verschiedenen Einstellungsgrößen aufzunehmen. Nur so hat das Schnitt-Team danach genug Material zur Verfügung. Man kann auch mit der bewegten Kamera experimentieren, aber nicht „wild drauflos“! Vorher sollte diskutiert werden, welche Wirkung beabsichtigt und wie diese wohl am besten zu erzielen ist. Die „Standardeinstellung“ sollte die mit Stativ sein, alles andere bedarf einiger Erfahrung und Übung.
Der „Zoomhebel“ sollte nur selten benutzt werden und dann ganz bewusst. Eine der wichtigsten Regeln für den Schnitt lautet, nicht in einen Zoom hineinzuschneiden. Wer also unbedacht zoomt, macht es dem Schnitt-Team schwer. Trotzdem gilt natürlich: Jede Regel darf auch gebrochen werden, wenn es inhaltlich begründet und sinnvoll ist.
Tipp zum manuellen Fokussieren (Scharfstellen): voller Zoom auf das Objekt, scharf stellen – zurückzoomen zum gewünschten Bildausschnitt – Aufnahme starten.

Beleuchtung

Bei Außenaufnahmen kann das Tageslicht kaum beeinflusst werden, doch auch hier gilt es einige Regeln zu beachten. Steht die Sonne hinter der Kamera, spricht man von Auflicht; schwieriger zu beherrschen ist das Gegenlicht, da hier weite Teile von Gesichtern im Video schwarz dargestellt werden. Hier hilft bei nahen Einstellungen ein Reflektionsschirm (als Ersatz z. B. eine Styroporplatte); damit kann man Schlagschatten in Gesichtern wirkungsvoll aufhellen.
In Innenräumen darf die Kamera keinesfalls auf Objekte gegen das Fenster gerichtet sein, da die Blende dann automatisch so weit schließt, dass diese Objekte/Personen völlig dunkel aussehen. Wenn möglich, sollte man die Automatik ohnehin abschalten und die Blende manuell wählen.
Auch das Mischen von Tages- und Kunstlicht ist problematisch, da die Farbtemperatur von beiden sehr unterschiedlich ist. Im Zweifelsfall ist es besser, Innenräume zu verdunkeln und nur mit Kunstlicht zu drehen. Es empfehlen sich echte Videoleuchten und nicht z. B. Bauscheinwerfer. Die sind zwar billig, aber wegen ihrer Hitzeentwicklung gefährlich und nicht für geschlossene Innenräume zugelassen.
Eine gute Standardbeleuchtung erreicht man durch das sogenannte Dreipunktlicht. Das Führungslicht (Key-Light) ist die Hauptlichtquelle und sollte nicht zu weit von der Kameraachse entfernt einstrahlen. Es wirft deutliche Schlagschatten auf den/die Darsteller. Meistens sind diese nicht erwünscht, daher positioniert man auf der anderen Seite der Kamera ein Aufhelllicht (Fill-Light). Es hellt die Schatten auf; ganz verschwinden sollen sie in der Regel nicht, um z. B. Gesichter nicht zu flach erscheinen zu lassen. Das Aufhelllicht muss daher schwächer als das Führungslicht bzw. bei gleich starken Lampen weiter vom Objekt entfernt sein. Das Gegenlicht/Rücklicht/die Kante (Back-Light) ist möglichst gebündeltes Licht hinter dem Objekt. Es darf niemals direkt in die Kamera leuchten und wird daher oft auch von oben geführt. Es erzeugt an den Objektkanten Lichtränder, insbesondere gibt es dem Haar mehr Zeichnung und Glanz.

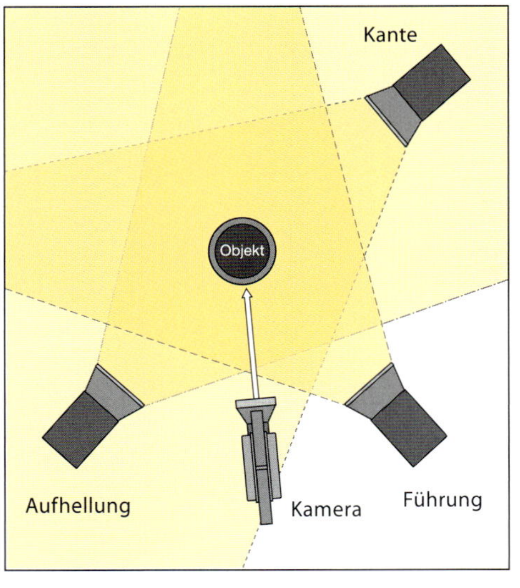

Schnitt

Mit einem halbwegs professionellen Schnittprogramm kann man so vorgehen, wie oben (S. 43) beschrieben. Man sollte der Versuchung widerstehen, mit allen möglichen im Schnittprogramm angebotenen Überblendungen zu arbeiten. Innerhalb einer Szene sollte nur hart geschnitten werden. Einige Schnittregeln:

- Einstellungslänge nur so lang wie nötig; bei Totalen länger als bei Großaufnahmen.
- Nur wechselnde Einstellungsgrößen/Perspektiven/Kamerastandpunkte aneinander schneiden (z. B. nicht Totale auf Totale).
- Notlösung: Zwischenschnitte (z. B. zwischen zwei Totalen der Band eine Großaufnahme eines Zuhörers).
- Nur das aneinanderfügen, was auch inhaltlich Sinn ergibt, also keine unzusammenhängenden Bilder.
- Kein Schnitt in Schwenks, Kamerafahrten oder Zooms (gut wirkende Ausnahmen erfordern viel Erfahrung)!

Literaturhinweise

Videoclips: Analyse, Theorie, Geschichte

Bódy, Veruschka/Weibel, Peter (Hg.): Clip, Klapp, Bum. Von der visuellen Musik zum Musikvideo, Köln: DuMont Taschenbücher 1987
Hausheer, Cecilia/Schönholzer, Annette (Hg.): Visueller Sound. Musikvideos zwischen Avantgarde und Populärkultur, Luzern: Zyklop-Verlag 1994
Keazor, Henry/Wübbena, Thorsten: Video Thrills The Radio Star. Musikvideos: Geschichte, Themen, Analysen, Bielefeld: transcript 2005
Neumann-Braun, Klaus: Viva MTV! Popmusik im Fernsehen, Frankfurt/M.: Suhrkamp 1999
Rappe, Michael: Work it – Warum Videogucken kreativ ist oder die Kunst des Eigensinns, in: AfS-Magazin 16/2003, S. 12 – 19

Filmanalyse/Filmgeschichte

Monaco, James: Film verstehen. Kunst, Technik, Sprache, Geschichte und Theorie des Films und der Medien, Hamburg: Rowohlt ^{2}2000 (erweiterte Neuausgabe), ^{1}1980
Steinmetz, Rüdiger/Steinmann, Kai u. a. (Hg.): Filme sehen lernen. Grundlagen der Filmästhetik, DVD mit Beiheft, Frankfurt/M.: Zweitausendeins 2005
Vineyard, Jeremy: Crashkurs Filmauflösung. Kameratechniken und die Bildsprache des Kinos, Frankfurt/M.: Zweitausendeins 2001

Clip-Anthologien

Beat-Club: On the Road Again, DVD, D: Radio Bremen 1999
disco: Licht aus – Spot an, Vol. 1, DVD, D: ZDF/Universal 2004
Hype Williams: The Videos, Vol. 1, DVD, USA: Big Dog/Palm 2002
Madonna: The Immaculate Collection, DVD, USA: Warner 1999
Missy Elliott: Hits of Miss E … the Videos, DVD, USA: Warner 2001
MTV: 20 Years of Pop I, Doppel-DVD, D: BMG/Ariola 2003
MTV: 20 Years of Pop II, Doppel-DVD, D: BMG/Ariola 2003
The Work of Director: Spike Jonze, DVD, UK: Palm/EMI 2003
The Work of Director: Chris Cunningham, DVD, UK: Palm/EMI 2003
The Work of Director: Michel Gondry, DVD, UK: Palm/EMI 2003
The Work of Director: Stéphane Sednaoui, DVD, UK: Palm/EMI 2005
The Work of Director: Anton Corbijn, DVD, UK: Palm/EMI 2005
The Work of Director: Mark Romanek, DVD, UK: Palm/EMI 2005

Internetquellen

http://www.zulunation.com

Quellenverzeichnis

Noten und Songtexte

S. 9: Ich wollt', ich wär' ein Huhn © Ufaton Verlagsgesellschaft mbH, Berlin; **S. 13:** A Kind of Magic © EMI Music Publishing Germany GmbH & Co. KG, Hamburg; **S. 21:** Wonderwall © Sony/ATV Music Publishing (Germany) GmbH, Berlin; **S. 22:** Unfinished Sympathy © Choice Audio Ltd. (PRS)/Island Music Ltd., New York; Warner Chappell Music Ltd., Hamburg; EMI Music Publishing Germany GmbH & Co. KG, Hamburg; Universal Music Publishing GmbH, Berlin; Neue Welt Musikverlag GmbH, Hamburg; **S. 25:** Geboren © Aule Edition/Edition Soulguerilliero; Arabella Musikverlag GmbH, Berlin; Musikverlag EMI Quattro GmbH, Hamburg; **S. 27:** Schlüsselkind © Edition Fourplay; From Here To Fame Edition, Berlin; **S. 28:** Nur ein Wort © Freudenhaus Musikverlag Patrik Majer, Berlin; Wintrup Musikverlag Walter Holzbaur, Berlin; **S. 30:** Subterranean Homesick Blues © Special Rider Music; für D/A/CH: Sony/ATV Music Publishing (Germany) GmbH, Berlin; **S. 31:** Subterranean Homesick Blues (deutsche Übersetzung) © 2004 by Hoffmann und Campe Verlag, Hamburg; **S. 32:** Sign o' the Times © Controversy Music; Universal Music Publishing GmbH, Berlin; **S. 35:** Jóga © Polygram Music Publishing Ltd. (GB); Universal Music Publishing GmbH, Berlin; **S. 38:** Everything Is Everything © Sony/ATV Tunes LLC; Obverse Creation Music Inc.; Sony/ATV Music Publishing (Germany) GmbH, Berlin; **S. 40:** Afrika Show © Chrysalis Music Ltd./Hard (UK) Hands Publishing Ltd., London; Fairwood Music GmbH (Germany), Bocholt; Global Musikverlag, München

Texte

S. 5: Tony Thomas: Filmmusik. Die großen Filmkomponisten – ihre Kunst und ihre Technik, München: Heyne 1995, S. 16; **S. 7:** Michel Gondry, in: The Work of Director: Michel Gondry (Booklet zur DVD), UK: Palm/EMI 2003; **S. 34:** Zitat Björk (ins Deutsche übersetzt), http://unit.bjork.com/specials/gh/SUB-04/index.htm, (19.06.2009)

Bilder

A-1-Filmtechnik und -produktion, www.a-1-filmtechnik.de: S. 19 (o.); **action press:** S. 18 (u.), 20 (o.), 36 (u.), 39 (o.); **AP Images:** S. 35 (r.); **Apollo Varieté, Düsseldorf:** S. 14 (o.); **Cinetext:** S. 6; **dpa Picture-Alliance:** S. 10 (o. r.), 24, 29 (l.), 32, 37 (o. r.); **Getty Images:** S. 39 (u.); **Kerem Unterberger:** S. 7 (u.); **laif Agentur für Photos und Reportagen:** S. 42; **Meisel Music, Berlin:** S. 9; **MTV:** S. 8 (m. l.); **Ullstein:** S. 5 (o. & u.), 8 (o.), 10 (o. l.), 11 (u. r.), 29 (r.), 34 (o.), 37 (m.)

Verzeichnis der Filmausschnitte und Videoclips

Die begleitende DVD (HI-S6007DVD) enthält alle Videoclips und Filmausschnitte zum Heft.

1 **Speed (Filmausschnitt, 1994)** 3:12
Regie: Jan de Bont
Musik: Mark Mancina
© Twentieth Century Fox Home Entertainment

2 **The White Stripes: The Hardest Button to Button (2003)** 3:42
Regie: Michel Gondry
Text u. Musik: John Anthony White
© XL Recordings Ltd.

3 **Peter Kreuder: Ich wollt', ich wär' ein Huhn; Szene aus dem Film „Glückskinder" (1936)** 4:24
Regie: Paul Martin
Text: Hans Fritz Beckmann
Musik: Peter Kreuder
© Ufaton

4 **Queen: A Kind of Magic (1986)** 4:41
Regie: Rudi Dolezal
Text u. Musik: Roger Meddows Taylor
© EMI Records Ltd./Queen Productions Ltd.

5 **The Chemical Brothers: Let Forever Be (1999)** 3:51
Regie: Michel Gondry
Text u. Musik: Noel Thomas Gallagher, Thomas Owen Mostyn Rowlands, Edmund John Simons
© Virgin Records Ltd.

6 **Oasis: Wonderwall (1997)** 4:49
Regie: Nigel Dick
Text u. Musik: Noel Thomas Gallagher
© Sony Music Publishing

7 **Massive Attack: Unfinished Sympathy (1991)** 5:28
Regie: David Lynch
Text u. Musik: Robert del Naja, Grantley Marshall, Shara Nelson, Jonathan Peter Sharp
© Virgin Records Ltd.

8 **Die Fantastischen Vier: Geboren (2005)** 4:00
Regie: Matthias Freier
Text u. Musik: Michael DJ Beck, Thomas Dürr, Max Herre, Andreas Rieke, Michael B. Schmidt, Goldkind (Musik)
© Four Music Productions GmbH

9 **Cora E.: Schlüsselkind (1997)** 3:54
Regie: Akim Walta
Text: Sylvia Macco
Musik: Martin Stieber, Christian Stieber
© BMG UFA Musikverlage/From Here To Fame

10 **Wir sind Helden: Nur ein Wort (2005)** 3:55
Regie: Florian Giefer, Peter Göltenboth
Text: Judith Holofernes
Musik: Judith Holofernes, Pola Roy, Mark Tavassol, Jean-Michel Tourette
© Virgin Music/EMI Publishing

11 **Bob Dylan: Subterranean Homesick Blues (1965)** 2:20
Regie: Donn Alan Pennebaker
Text u. Musik: Bob Dylan
© Paramount Home Entertainment

12 **Prince: Sign o' the Times (1987)** 3:52
Regie: Bill Konersman
Text u. Musik: Prince
© Warner Bros. Records Inc.

13 **Alex Gopher: The Child (1999)** 3:14
Regie: Antoine Bardou-Jacquet
Text u. Musik: Alexis Latrobe, Arthur Herzog, Billie Holiday
© V2 Music

14 **Björk: Jóga (1997)** 3:21
Regie: Michel Gondry
Text u. Musik: Björk Gudmundsdottir, Sigurjon B. Sigurdsson
© One little Indian Records Ltd.

15 **Lauryn Hill: Everything Is Everything (1998)** 4:18
Regie: Sanji Senaka
Text u. Musik: Lauryn Hill
© Sony BMG Music Entertainment

16 **Leftfield/Afrika Bambaataa: Afrika Shox (1999)** 4:53
Regie: Chris Cunningham
Text u. Musik: Afrika Bambaataa, Neil John Barnes, Paul Terence Daley, Nicholas Rapaccioli
© Hard Hands Ltd.

17 **Michael Jackson: Black or White (1991), Ausschnitt** 2:11
Regie: John Landis
Text u. Musik: Michael Jackson
© MJJ Productions Inc.